口下手でも
人見知りでも
あがり症でも
人生が変わる

人を「惹きつける」話し方

佐藤政樹
Masaki Sato

プレジデント社

はじめに

「話し下手のせいで話が伝わらず、仕事の成果が出ない」

「人見知りのために、お客さまとよい関係性が築けず、話を聞いてもらえない」

「プレゼンでも商談でも、すぐに緊張してしまって自分の主張が通らない」


あなたは、自分の「話し方」について、こんな悩みや不満はないでしょうか？

もしあなたが、人と話すことが苦手だったり、極度のあがり症だったとしても心配することはありません。

なぜなら、この本でお伝えする「人を惹きつける話し方」とは、口下手でも人見知りでもあがり症でも、人から信頼され、理解され、人の心を動かし仕事で結果を出すことができる再現性の高い技術だからです。

生まれ持った会話のセンスなどは必要ありません。

「もっと聞きたい」
「あなたから買いたい」
「心から納得した」

お客さまや部下や家族やその他あなたの話を聞いた人すべてに、そう思ってもらえたら、あなたはどんな気持ちになりますか？

商談を成功に導き、お客さまから常に信頼され、大勢の前でも堂々と自分の主張を展開して結果を出している……。そんなあなたになるための方法を、この本では徹底的にお伝えします。

営業の〝戦力外通告〟から、「ＴＥＤ×」35万回再生の人気研修講師に

はじめまして、佐藤政樹と申します。

飛び込み営業でトップクラスの成績を収め、「劇団四季」で主役を務め、現在では延べ300社3万人のビジネスパーソンに指導する研修講師として全国を飛び回り、「話すこ

と」を自分のビジネスにしております。プレゼンの殿堂「TEDx」にも出演し、日本人としては異例の35万回再生を超えました。

でも、最初からこのようになれたわけではありません。

もともと極度の人見知りと口下手ということもあり、就職活動は全滅、アルバイトとして就いた営業職では、お荷物赤字社員で、まさかの戦力外通告……。

その後、チラシ配り、テレアポ、携帯電話販売、ツアーガイド、銀座のキャッチ、結婚式の司会業など、ありとあらゆるアルバイトを経験しました。

その経験と過程で独自に編み出した話し方の手法と、劇団四季のカリスマ・浅利慶太さんから直接教わった「伝えることの本質」をもとに、「人を惹きつける話し方」を身につけることで、その後の人生を変えてきました。

私はこれまで研修やセミナーなどで、自分自身で作り上げた、その「人を惹きつける話し方」のノウハウを紹介してきました。おかげさまでとても多くの方に「どんな人でも、どんな職業でも成果が上がる」「見える世界が変わる」と評判を呼び、数多くのリピーターと口コミによる新規オファーをいただいています。この本では、その「人を惹きつける話し方」のノウハウを、はじめて1冊にまとめて紹介します。

「話し方」で結果が出る人、出ない人のほんのわずかな違いとは

あなたは売れる人と売れない人の話し方の違いを説明できますか？　または、伝わる人と伝わらない人の話し方の違いを言葉にすることはできるでしょうか？

その差はわずかですが、結果は大きく変わります。言葉にすることが難しいそのわずかな差を、文章や図を通して言語化し解説しているのが、この本の大きな特徴です。

それによりあなたの「話し方」に対するものの見方や考え方が劇的に変化し、行動が変わります。これが「どんな人でもどんな職業でも成果が上がる」理由です。

では、どうすれば「人を惹きつける話し方」ができるようになるのでしょうか。

この本では、そのために必要な考え方や実践方法を第1章から第3章で、そして結果を出すために日ごろから意識しておく必要のある行動や練習できることを第4章から第6章で解説していきます。

第1章から第6章までをトータルで学び実践することにより、あなたは人から信頼され、理解され、人の心を動かすこと、つまり話し方で人を惹きつけて結果を出すことができるのです。

第1章は「上手く話さない」です。
人を惹きつけるためには、上手く話す必要も別の自分を演じる必要もありません。感情やテンションもいりません。カリスマ浅利慶太さんから学んだ「伝えるための本質」を通して誤った思い込みを外します。

第2章は「発声より〝発想〟を大切にする」です。
人を惹きつけるためには、「どう話すか」よりも「なぜ話すか」が大切です。そのためには〝その言葉を発する理由〟、つまり〝発想〟をいかに腹落ちさせるかが肝になります。無理して別の自分を演じたり、テンションや情動的に訴えかけたりせずに、心の底からあふれる真実の想いを淡々と語ることを「実感して語る」といいます。この「実感して語る」ことこそが、私が劇団四季で学んだ「伝わる言葉の本質」であり、飛び込み営業でトップクラスの成績を出せた大きな理由です。あなたが「実感して語る」ための方法を文章や図などを通して言語化します。

第3章は「まず書く」です。

人を惹きつけるためには、まず「話すための書く」練習が大切になります。書く行為は、あなたの想いや考えを言葉に変換する訓練だからです。「発声」と「発想」を合致させるための練習として、まず書いてみることで、人を惹きつけるための素材があなたにストックされていきます。書くために頭の中を整理することが、話し方が向上する礎になるのです。

第4章は「相手を喜ばせる」です。

あなたがどれだけ実感して語ることができても、人から信頼されていなかったらその言葉は間違いなく届きません。相手に受け入れてもらうためにはあなたは日常から「相手を喜ばせる」習慣を持つことが必要です。喜ばせるには、話を聞く力、まず理解しようとする姿勢、オープンマインドを身につける必要があります。その技術を解説します。

第5章は「イメージさせる」です。

プレゼンや商談などのビジネスシーンで優先させることは、相手を同じ土俵に上がらせることです。なぜなら相手が土俵に上がっていなかったら、どれだけ実感して語れても高い確率で空振りするからです。土俵に上がらせるためには「イメージ」させることが重要です。そのためのテクニックと練習方法を解説します。

第6章は「〝見られる〟より〝見る〟意識で話す」です。

プレゼンや面接や商談の場で、緊張して思うように話せない原因は、「見られている」意識にあります。これを「見る」意識に切り替えるだけで「悪い緊張」から解放され、心地よい緊張感のなかで力を発揮することができます。この「見る」意識を培うためのさまざまなオリジナルワークを紹介します。

「人を惹きつける話し方」で人生を変えよう

ここまで紹介した通り、「人を惹きつける話し方」には、生まれ持ったセンスも、精神論的な訓練も必要ありません。口下手でも人見知りでも極度のあがり症でも身につけることができます。

それは、私自身が、どん底の状態から多くの失敗や成功を繰り返したなかで見つけ、身につけてきた、再現性の高い「技術」に落とし込んでいるからです。

この話し方を身につけて人生を大逆転した私自身や、私の研修やセミナーを受けて劇的に成果を上げた多くの皆さんと同じように、この本を手に取ってくれたあなたにも、「人を惹きつける話し方」で目の前に見える世界を変えてもらいたい。

「話が伝わらない、聞いてもらえない、動いてもらえない、だから成果が出ない……」。

こういった悩みが解消されて、「もっと聞きたい」「あなたから買いたい」「心から納得した」

と、あなたの話を聞いた人すべてに言われる人生に。
この本を読んで、そのきっかけをつかんでもらえたら、著者としてこの上なく幸せです。

佐藤政樹

はじめに …… 2

第1章 人を惹きつける人は「上手く話さない」

1 演じるくらいなら「下手でいい」 …… 22
口下手こそ成長できる …… 22
不器用でも惹きつけられるスピーチ …… 24
別の自分を「演じる」と失敗する …… 28
2 張り切っても「感情は込めるな」 …… 31
ハイテンションの意外なリスク …… 31
自己満足な話し方の特徴 …… 32
3 あなたが「ここにいる理由」を考える …… 34
「滑舌のよさ」や「流暢さ」よりも大事なこと …… 34
「どうやって話すか」よりも「なぜ話すのか」 …… 35

第2章
人を惹きつける人は「発声より“発想”を大切にする」

④ 口下手な人ほど、才能が眠っている …… 39
「飾らない人」に惹きつけられる理由 …… 39
上手く話せないなら、上手く話さなくていい …… 41

① その言葉を発する理由は何か？～「実感」する …… 44
戦力外通告から10年越しのリベンジ …… 44
同じ言葉でも、伝わり方は１８０度違う …… 46
最重要！　「実感」が人を動かす …… 50

② 一致させるべき「発声」と「発想」 …… 53
心を動かす言葉のたった一つの本質 …… 53
実体験に即して、淡々と語る …… 55

③ 普段の「言葉」に革命が起きる「言葉のポジション」……58
TEDxで異例の35万回再生　言葉の極意……58
成果を出す人と出せない人の「言葉」の差……59
「頭」「胸」「腹」のどれで話しているか？……60
3種の言葉の使い方が結果を分ける～頭・胸・腹～……63

④「話し上手」が陥るスランプ「言葉の鮮度」……74
話し「慣れる」と失敗する……74
ダレた言葉はバレてしまう……76
『ライオンキング』開演前・伝統のルーティン……78
劇団四季で鍛えるのは、演技ではなく「挨拶」……79

⑤「実感して語る」ための4ステップ……81
─STEP 1─「なぜ話すのか？」　言葉を発する理由に立ち返り、掘り下げる

―STEP2―「腹のポジション」で話せるように、徹底的に情報をインプットする
―STEP3―自分の経験・体験談とひもづける
―STEP4―飾らず、演じず、淡々と自分の言葉で語る

第3章 人を惹きつける人は「まず書く」

① 「話すための書く練習」からはじめよう …… 90
いきなり話さずに「書く」理由 …… 90
一流の文章力はまったく不要 …… 91
書けない人は「話せない」のは当然 …… 96
② 「書く」と人生が変わる理由 …… 98
得られる5つのメリット …… 98
「書く」ことで頭の回転が速くなった …… 101
すべてを「人を惹きつける話」に変換する …… 103

③ 初級編・誰にでもできる「話すための書き方」テンプレート……105
型に当てはめればすぐにマスターできる……105
「だから何？」でも書いてしまおう……107
人生は素晴らしいネタでいっぱい……109
「こんな文章恥ずかしい」は「30点でOK」と考える……111
情報の宝庫「トラウマ、失敗、黒歴史」……112
④ 上級編・誰でもできる「話すための書き方」テンプレート……114
フォームを鍛えればアドリブも万全……114
世界に一つしかない鉄板トークのできあがり……115
⑤ 惹きつける話し方の基礎を固めよう……120
成果が出なくても焦らなくていい……120

「3か月目標」を現実的にすると上手くいく……121
ゆるくてもとにかく書き続けるための5つのコツ……122

第4章 人を惹きつける人は「相手を喜ばせる」

① 話す前に、「まず聞く」理由……128
「聞く力」が相手を喜ばせる……128
いつも話しやすい人は「自分を消す」……131
② 私を消して「聞く」に徹するテクニック……133
話す前に「聞く」基本の3か条……133
―STEP1― 今に集中して「まず聞く」
―STEP2― 相手の話を引き出す
―STEP3― 聞いてほしいことを訊く
③ 人生を変える「オープンマインド」の意識……150

人見知りを直す「声をかける習慣」……150
まずは言葉で感謝のチップを配ろう……152
1日1回、プラス一言を加える……154

④ 一瞬で心をつかむ
銀座のキャッチの「マジッククエスチョン」……156

「話したくない人」の心を開く方法……156
人は「気づいてくれる」と嬉しくなる……158
「褒められたい」気持ちを突く……160
人は皆「言われたいこと」がある……161
「言われたら嬉しいこと」で切り込む……163
相手の気持ちを急速冷凍する「アドバイス」……164

第5章 人を惹きつける人は「イメージさせる」

① 相手の「頭の中」がすべてを変える …… 168
まず相手にイメージさせることを意識する …… 168
イメージによって相手の心が動き始める …… 169
一方的に説明するか、イメージさせるか …… 171
絵の先生は、生徒のキャンバスに手を入れない …… 173
イメージ力には個人差がある …… 175
人を惹きつけるヒントは「相手の頭の中」にある …… 176
相手のイメージを上手に誘導する質問 …… 180
結婚式の司会を2回連続キャンセルされたときに学んだこと …… 184
② 自由自在に言葉を紡ぎイメージさせる4つの練習 …… 186
イメージさせる話し方の練習方法1
「見たものをそのまま言葉にする」 …… 188
イメージさせる話し方の練習方法2

「起きていることの背景を言葉にする」……192
イメージさせる話し方の練習方法3
「行ってみたいと言わせるのを目的に話す」……199
イメージさせる話し方の練習方法4
「あえて黙って会話に空白を作る」……203

第6章 人を惹きつける人は「〝見られる〟より〝見る〟意識で話す」

① 「悪い緊張」をよい緊張に変える……210
100%力を発揮する人の「意識の切り替え」……210
「見られる」意識が悪い緊張をもたらす……212

② 「見る」意識と「見られる」意識……214
「見る」意識をつくる3つのワーク……214
―ワーク1―「ハンカチを隠しているのは誰だ?」ワーク
―ワーク2―「『ライオンキング』のサボテン」ワーク

ワーク3 「赤ちゃんへのまなざし」ワーク

③ 「いい緊張」で本来の力を発揮する方法 …… 233

緊張は力に変わる …… 233
劇団四季の開演前の儀式「ゼロ幕」 …… 234
あなたは相手に「何を伝えたい」のか？ …… 236
新鮮な気持ちを保てば、成果が上がる …… 237
「居れている」自分と対話しよう …… 239

おわりに …… 242

第1章

人を惹きつける人は「上手く話さない」

① 演じるくらいなら「下手でいい」

口下手こそ成長できる

「流れるような、魅力的な話し方ができればいいのに」
「営業成績が伸びないのは、口下手のせいだ」
「自分ではしっかり話せているつもりなのに」

話し方さえもっと上手くなれば、結果も出るはずなのに……。

あなたは、このように悩んだことはありませんか？

でも実は、「人を惹きつける話し方」を身につけて、仕事で結果を出すためには、上手に話したり、綺麗に話したりする必要はありません。


なぜなら、上手に話すことと、人を惹きつけることはまったく別物だからです。

口下手でも何の問題もありません。

最初に、結論をお伝えします。


もしかすると、このように思ったかもしれません。

「話し方について書かれた他の本と、言っていることがまったく違う」

「なぜそんなことを、自信を持って言えるの？」

筆者である私も、かつて同じ悩みを抱えていたうちの一人です。上手く話すためにはどうしたらいいのか？　本を読んでテクニックを覚えたり、結果を出している人と比較したり、デキる自分を演じたりしては、空回りを繰り返してきました。

これから、「人を惹きつける話し方」の秘密をお話ししていきます。

不器用でも惹きつけられるスピーチ

「話が上手いほうが、人を惹きつけられる」

普通は、こう思えますよね。ここで、結婚披露宴で私が経験した、あるスピーチのエピソードを紹介させてください。

誰がどう見ても口下手で不器用そうな男性が、決して上手とはいえない話し方で、聴衆を惹きつけて感動をもたらした話です。

この話にヒントがあります。

ある二人の男女が、新郎新婦を祝うために友人を代表してスピーチをしました。

まずは女性からです。

彼女は人前で話すことに慣れているようで、魅力的な笑顔でスピーチをはじめました。とても上手です。一度も噛みません。流れるような綺麗な話し方は、聞いていてとても安心感があります。最後に彼女が「本日は、おめでとうございます」と締めくくると、会場からは拍手が湧きました。

次に、男性のスピーチです。

男性は自分の名前が紹介されると新郎新婦の横に向かいました。明らかに緊張していて顔が真っ青です。ガチガチな姿を見た会場は「この人、大丈夫なの……」という不穏なムードに包まれました。参加者も不安そうな目で彼を見つめます。

「ほ、本日は、ごご、ご結婚……おめでとう、ございます」。用意していたスピーチ原稿を広げて、彼はか細い声で読みはじめました。しかし、そのうちに手が震えてしまってまったく読めなくなってしまいました。

紙が震えてパタパタと音が響き、怯えた姿はまるで生まれたての小鹿のようです。彼は一生懸命に原稿を読もうとするのですが、あまりの緊張のために声が出ないようです。会場はざわつき、「がんばれー」という声も聞こえます。イヤな間がしばらく続きました。

そのときです。

彼は突然、「ちくしょう……」とマイクに向かってつぶやきました。会場はシーンとしています。すると、彼はもう一度「ちくしょう！」と叫んで、手を振り下ろしました。

なんと、用意した原稿から完全に目を離したのです。

そこからは別人のようになって、新郎新婦の二人をしっかりと見つめながら、思い出を語りはじめました。

「大吾、美希……、あの、俺が、セッティングしたバーベキューでお前ら二人が出会って……結婚するなんて、俺、マジで夢にも思わなかったよ……めちゃめちゃ嬉しいよ……」

会場の空気は一気に変わりました。全員が食事や会話もやめて、しーんと静まり返り、彼の一言一言を逃さないよう、集中して聞きはじめました。

二人との思い出のストーリーを淡々と語る姿に、新郎は目を真っ赤にしています。スピーチをしている彼は自分も泣きそうになっていましたが、なんとかこらえて、深い呼吸をして気持ちを整え落ち着かせているようでした。しばらく、会場では無言が続いています。

最後に彼は、新郎新婦に向けて「おめでとう」と、重みのある言葉を言い切りました。

するとその直後、会場に文字通り割れんばかりの拍手喝采が鳴り響いたのです！

いかがでしょうか。スピーチをした彼は、決して話し上手ではありません。むしろ、こう言っては申し訳ないのですが、決してセンスがあるわけでもなく不器用なタイプだと思います。特に、人前なんて大嫌いでしょう。しかし彼は、確実に人を惹きつけて、聞く者の心を動かしていました。場の熱量や参加者の集中力、新郎の涙、拍手の量など、どれをとっても、間違いありません。

披露宴が終わった後も、参加者が口々に「あのスピーチはすごかった……」「今日の感動は全部彼が持っていった」と話すくらい、感動的なスピーチだったのです。

なぜ、彼の話は人を惹きつけたのでしょうか。

実はこういったことは、私たちの生活や仕事中にも頻繁に起こっています。

自分ではしっかり練習して綺麗に話せたつもりなのに、現場では空振りだった。逆に肩の力を抜いてありのままの自分をさらけ出してしまったときには、むしろ高く評価してもらい、成約につながった。

いつも結果が出ているあの人は、決して話し方が上手いわけではないけれど、妙に説得力がある。もしかしたら、あなた自身にも思い当たる経験があるかもしれません。

このエピソードを通じて伝えたかったのは、**「最も心に響くのは、上手にすらすら話す人の言葉ではない」**ということです。

たとえ口下手でも、演じるのではなく等身大の自分として話せれば、人の心を動かすことができるのです。

人を惹きつけて結果を出すためには、まず「上手く話さなければいけない」「かっこよく綺麗に話さなければいけない」といった思い込みをリセットする。これが第一歩です。

別の自分を「演じる」と失敗する

ここで私が出会った〝ある方〟の教えを紹介します。その方は浅利慶太さん。この出会いをきっかけに、私の考えは180度変わりました。劇団四季という、誰もが知るプロの表現者集団をゼロから作りあげたカリスマです。

浅利さんに繰り返し言われた言葉があります。

それは、
「上手くやろうとするな」
「別の自分を演じるな」
です。

浅利さんは私に、「伝えることの本質」を教えてくれました。
○自分を表現して相手に何かを伝えようとするときは、小手先で上手くやろうとしたり、別の自分を演じてよく見せようとしても絶対に伝わらない。
○「演じる」のではなく、まずは自分が、ありのままの自分として「生きる」ことが重要。
○自分を偽ったり、盛ったりして「魅せる」のではなく、ウソを「削ぎ落とす」ことが最優先。ウソが消えたとき、はじめて人の心を動かすことができる。

つまり、「流れるように上手に話す」「かっこよく綺麗に話す」からといって、人を惹きつけられるとは限らないのです。

上手に話すことと、人を惹きつけるように話すことはまったく別物です。

これはビジネスシーンでも同じです。面接や商談やプレゼンなど、大事な場面ではついつい自分を大きく見せようと意気込んでしまうと思います。でも実は、ある意味開き直って、肩の力を抜き、大好きなことに没頭している「等身大の自分」で臨んだほうが、よりよい結果が得られる可能性が高くなるのです。

この**「伝えることの本質」が腹落ちして理解できるようになれば、自分の個性や人柄が、今よりぐっと伝わるようになります。**

自然に、結果もついてくるでしょう。

繰り返しになりますが、口下手でも話し下手でも、まったく問題ありません。あなたがまずやるべきことは、「上手く話さなければいけない」「かっこよく綺麗に話さなければいけない」といった思い込みをすべてリセットすることです。

②張り切っても「感情は込めるな」

ハイテンションの意外なリスク

もう一つ、よくある誤解があります。

話すときの「テンション」や「感情」についてです。

あなたは、人を惹きつけるためには、テンションを上げて明るいキャラ作りをする必要があると思っていませんか？　または、自分の感情を強調すれば、人を惹きつけられると思っていませんか？

実は私も、話し方で人を惹きつけるためには、「テンションを上げて、しっかりと感情を込めて、伝えたいことを熱意で押すしかない……」とずっと考えていました。

しかし、人を惹きつけるためには「ハイテンションで話す必要性」も「感情を込める必要性」もありません。「テンションを上げて情動的に話せば伝わる」や「感情を込めれば伝わる」などは、精神論に近いです。

なぜか。それは、感情を込めると「自分だけがやった気になってしまって、相手にはそれほど届いていない可能性をはらんでいる」からです。

自己満足な話し方の特徴

ここでもう一つ、劇団四季創設者のカリスマ・浅利慶太さんに繰り返し教えてもらった言葉を紹介します。

「張り切るな」

「感情は込めるな」

○テンションを上げて張り切ろうとする気持ちが湧き出てきても、常に並《なみ》の心構えを保つ。

○感情面ばかりを強調すると、〝自分はしっかりと相手に伝えた〟と思い込んでしまう。

○この誤った認識によって、伝えたつもりが、伝える側の自己満足になっている可能性が高くなる。

私はこの言葉をきっかけに、それまで凝り固まっていた自分の考えが180度変わり「テンションも感情も必要ないんだ……」と納得するきっかけになりました。これも、浅利さんから繰り返し叩き込まれた「伝えることの本質」の一つです。

人前に立って話すときや、営業のクロージングなど大事な場面になればなるほど、誰しもつい、張り切ってしまうものです。しかし、その感情や勢いに任せて突っ込もうとすると、逆に空振りしてしまいます。

あなたが感情を込めたり、テンションを高くしてしまうと、聞き手の気持ちを置いてけぼりにしてしまう恐れがあるのです。

伝えたい気持ちが大きくなったときに、焦って感情を強調すると、逆に安っぽく見えることもあります。実はそのようなときこそ、神経の高ぶりを抑えて淡々と話したほうがよっぽどよい結果に結びつきます。

③ あなたが「ここにいる理由」を考える

「滑舌のよさ」や「流暢さ」よりも大事なこと

さて、あなたは「話し方のプロ」と聞いて、どのような仕事をイメージしますか？　アナウンサーなどさまざまな職業がありますが、「あんな話し方ができたらいいなぁ」と思ったことがあるのではないでしょうか？

「話し方のプロ」と呼ばれる職業の方々に共通する特徴として、

○滑舌がとてもよい
○はきはきと聞きやすい
○素敵ないい声

○流暢に話す

などがあげられます。一般的に、そのような話し方を目標にして、自分と比較している方はとても多いように感じます。ビジネスパーソンであるあなたは、滑舌やはっきりと丁寧に話すことだけを意識する必要はありません。

ここで、この本の核となる重要なキーワードを解説します。

「どうやって話すか」よりも「なぜ話すのか」

たとえば、実際にこんなシーンを想像してみてください。

あなたは、苦手な上司と1対1で面談しています。あなたはその上司が大嫌いで、1秒でも早く面談が終わってほしい、と考えています。

そのときです。突然、その上司の顔が見る見る青白くなったかと思うと、口から泡を吹きながらバタンと倒れました。そして上司は、なんとか声を絞り出して「きゅ、救急車を呼んでくれないか……」と助けを求めてきました。一大事です。

あなたはそこで、こう答えました。

「大丈夫ですか!?　わかりました!!」

ここで、考えてみてください。

あなたはこの場面で〝滑舌よく丁寧に〟〝いい声で〟などを意識するでしょうか？

間違いなく、意識しないと思います。

もしかすると、これは極端な例かもしれません。

しかし、この場面では綺麗な美しい言葉を必要としないことは明らかです。日ごろどんなに嫌いな上司でも、命に関わるかもしれない危機となれば、〝今は緊急事態、なんとかしなければ〟と考えると思います。その結果として、ほんの一瞬のうちに、口から自然と言葉が出てくるのです。

つまり、ここで私が伝えたいのは、

「その言葉を発するからには、言葉を発する〝理由〟が必ずある」

ということです。

私たちは日ごろ、言葉を使って自分の想いを相手に届けています。

このシーンの場合、「目の前の人の命を助ける」という〝理由〟があるからこそ、「大丈夫ですか、わかりました」と言葉が自然と出てくるのです。

逆に、〝滑舌よく丁寧に〟という理由で言葉を発しても、口から出たその言葉にはリアリティがありません。

つまり「どうやって話すか」に意識が回り、滑舌よく丁寧に話すことだけを目的にしてしまうと、リアリティのない表面的な言葉になってしまうのです。当然、相手からは共感が得られるわけがありません。話をしている最中は、滑舌のよさやはっきりと丁寧に話すことを気にしすぎる必要はないのです。

私は講師として人前で話をする直前には、毎回「自分はなんのためにここにいて、なぜ話すのか？」という〝ここにいる理由〟を自分に誓うようにしています。「役に立つ情報を届けて、悩んでいる人の手助けをする」「相手の悩みを解決する」「この企画を実現させて社会をよりよくする」など、さまざまです。


大事なことは「なんのためにここにいて、なぜ話すのか？」。この質問に即答できるよ

うに準備し、終始念頭に置いておくことです。

商談やプレゼンなどビジネスでの大事な場面では、滑舌やはっきりと丁寧に話すことを気にするよりも、まずは話す〝理由〟を腹落ちさせてみてください。

滑舌のよいはっきりした話し方だけを意識すると、話し手の素の部分が見えにくくなります。「この商品を売らないと」「目標を達成したい」「このプレゼンを外したらどうしよう」という目先のことを考えてはいけません。その前に、話す理由に立ち返ることが大切なのです。

そこにいるからには、そこにいる本当の〝理由〟が必ずあります。人を惹きつけるにはテンションや感情はいりません。それよりもまずは、「ここにいる理由」を明確にすること。こちらのほうがはるかに重要です。

④口下手な人ほど、才能が眠っている

「飾らない人」に惹きつけられる理由

ここでいったん、結婚式の男性のスピーチの話に立ち返りましょう。

なぜ、彼の話は人を惹きつけたのか。それは彼の話し方から、「間違えないように、しっかりしないと」という考えが消えて、等身大の自分をさらけ出したからです。

スピーチをした彼は、用意した原稿を読むのをやめたときに大きく変わりました。

「なんとかこの場を切り抜けないと」という姿勢から、「新郎新婦の人生の門出を祝う」という本来の姿勢に変わり、会場中の人がそこに共感したのです。

「上手く話そう」「失敗しないようにしよう」でも「緊張する」「自信がない」「話すのが苦

手」……。こういった自分都合の考えを、土壇場ですべて捨てることができました。

彼は、新郎・新婦のために、勇気を振り絞り、自分の素をさらけ出しました。

ありのままの自分をさらけ出すことは、非常に勇気のいることです。

もしその自分を否定されたり、拒絶されたりしたら……。自分自身を否定されたような気持ちになってしまいかねません。自分の素を、それも人前でさらけ出すのは、それほど怖い、勇気のいることです。これは読者のあなただけではなく、筆者である私もまったく同じです。

しかし逆に、話を聞く人の立場になって考えてみるとどうでしょうか。友人の結婚式で、いかにも不器用そうな人が、新郎・新婦の門出を祝うために変わろうとしている瞬間。一歩踏み出そうと、果敢にチャレンジする瞬間。自分の殻を破ろうとしている瞬間。目の前の「等身大の彼」が、最も伝えたい言葉をただありのままに伝えている。

人は、その人が自然に醸し出す人間味や人柄に引き込まれます。中途半端に飾るプロよりも心を開いて挑んでいる素人のほうがよっぽど人の心を打った理由が、よくわかるのではないかと思います。

上手く話せないなら、上手く話さなくていい

「相手は、その人が自然に醸し出す人間味や人柄に引き込まれる」

この言葉には、「無理に自分を取り繕う必要はない」という意味が込められています。

つまり、あなたが今すぐできることは、

「自信がない」なら、自信があるように装わなくていい、ということです。

「頭がよくない」と思うなら、頭がいいフリをしなくていい、ということです。

「人からよく見られたい」と思うなら、無理してかっこつけなくていい、ということです。

「テンションを上げられない」なら、テンションを上げなくてもいいのです。

「上手くしゃべれない」なら、上手くしゃべらなくてもいいのです。

人は、その人らしさが現れたときに最も魅力的に感じます。上手くやろうと装っているときにはその人の本当の魅力が現れません。別人を装って取り繕ったり、作り笑いをしたりして、その人の素が見えないときには、どこかウソっぽく感じてしまいます。

私が考える「人を惹きつける話し方」は、木彫りで何か作品を作るときに似ています。木彫りで作品を作るときには、工具を使って木を削ぎ落としていきます。間違ってもどこかから粘土を持ってきて、木の上に盛って、装飾品をつけたりはしませんよね。余計な木を削ぎ落とした結果、中から作品が浮かび上がってきます。

これが、**ありのままの自分になるということです。**不器用な人、口下手な人、人見知りの人は、人を惹きつける要素をすでに持ち合わせています。自分を卑下する必要はまったくありません。削ぎ落とすべき余計な装飾品がないあなたは、人を惹きつける話し方ができるようになる、類まれな才能の持ち主なのです。逆に、話が上手く、自分はしゃべれると思っている人、「上手くなったなぁ」と満足している人のほうが要注意です。

ほんの少しずつで構いません。自分から心を開いて「等身大の自分」を見せていくことが惹きつける話し方を身につける上でのポイントです。

さあ、これで「等身大の自分」を見つける心づもりはできましたか？

次の第2章では、木を削ぎ落とした後の「等身大のあなた」の言葉が光り輝いて、人を惹きつけるようになる方法を、具体的にお伝えしていきます。

第2章

人を惹きつける人は「発声より〝発想〟を大切にする」

① その言葉を発する理由は何か？〜「実感」する

戦力外通告から10年越しのリベンジ

「佐藤さん、残念ながら戦力外です」

冬の寒さが残る20代前半の3月のある日、人材派遣の営業職に就いた私は、営業の外回りから帰社する際に同行してもらっていた上司から突如、このように戦力外通告を受けました。

就職活動で全滅した私は、非正規社員として人材派遣の営業をして日々を過ごしていました。同僚が徐々に数字を積み上げていくなか、私はいつもお荷物赤字社員。壁に貼られた営業成績のグラフを見ると、他の社員は成績が上がっているのに、私はその半分にも届きません。毎月、私の名前のところだけ急な谷ができていました。

そのうえ、「何も教えてくれない」「いいリストをもらえない」「商品がよくない」と不平不満ばかり言っていて、成果もまったく出ていない。今思えば、解雇されて当然でした。

出勤最終日、自分の荷物を引き揚げるときの周りの気まずい空気と、そのときに感じた情けなさと惨めさは今でも忘れられません。

しかし私は、それから5年後に劇団四季の入団テストに合格。入団後も激しい競争を勝ち抜いて主役を務めます。劇団四季を退団した後に再度挑戦した営業では、〝多大なる貢献をした職員〟として大きなホールで表彰され、周りから祝福と賞賛の拍手を浴びました。

かつてクビになったときからちょうど10年。職場の全員から辞めないでほしいと惜しまれ引き止められるまでになったのです。

20代前半で仕事をクビになるという経験をした私が、10年のときを経て営業職でトップの成績となり表彰され、人から必要とされる人間になることができたのには、ある大きな理由があります。それこそが、惹きつける話し方を通じて、「人の心を動かせる」ようになったからです。

私は演劇の世界で学んだことをビジネスに使えるように変換し、300社・3万人以上に伝えてきました。

この章では、人を惹きつける話し方の核心に迫っていきます。

同じ言葉でも、伝わり方は180度違う

私は、惹きつける話し方で「人の心を動かす」ために、絶対に必要だと確信していることがあります。

それは「なぜ話すのか？」をいつも自分に問うこと。どんなときでも「言葉」を発する理由に立ち返り、その理由を掘り下げることです。第1章でも少し触れましたが、人の心を動かし、結果を出すためには、「どう話すか」よりも「なぜ話すか」が重要です。

ここで、いきなりですが、あなたに言っていただきたいことがあります。この言葉を、声に出してみてください。

「本当に、ありがとうございました」

できれば、読むのではなく、本から顔を上げて実際に口に出してみてください。もし声

を出せない環境なら、頭の中でこのセリフを音読してみてください。そのほうが、確実に理解が深まります。

いかがでしょうか？ 声に出してみましたか？

今あなたが発した「本当に、ありがとうございました」という言葉に惹きつけられる人は、おそらく一人もいないでしょう。

「いきなり『口にしてみて』と指示されたから、声に出した今の言葉」に惹きつけられることは、ないと思います。

なぜならば、その言葉は「言葉を発する理由」が存在しない、ただの音声だからです。

では次に、以下のような状況だったらどうでしょう。

あなたは自分の将来の夢のために、ある国家資格を目指していました。しかし、そのためにはある学校に入って、3年間勉強をしなければなりません。必要な学費は300万円。「そんな額はとても支払えない……」。そう考え、諦めようとしていたときです。どこからか話を聞きつけたあなたの親類があなたのところにやってきてこう言いました。「お金を理由に夢を諦めてはいけないよ」。そして、300万円の学費を一括で支払ってくれたのです。

あなたは「何としても恩返ししないと」と死に物ぐるいで勉強します。勉強はラクではありませんでしたが、自分の夢の実現、そして何よりも、親類の気持ちに応えたいという意志が心の支えになりました。

そして3年の月日が過ぎ、いよいよ国家資格の合格発表。緊張しながら見た合格者リストの中に、あなたの名前があったのです！　目からは涙があふれ、同時に苦しかったさまざまなことがよみがえりました。

合格証書を手に、親類に結果を報告しに行きます。あなたは、「学費の300万円はどうしても返済させてほしい」と伝えました。するとその親類はあなたにこう言います。「おめでとう、本当にがんばったね。あの300万円はもともとあなたが困ったときのために用意していたの。だから、返済しなくていい。せっかく夢に一歩近づいたのだから、自分の将来に意識を向けなさい」。

ここで、あなたの目の前に、その親類がいると思って、もう一度この言葉を言ってみてください。

「本当に、ありがとうございました」

いかがでしょうか。

おそらく、私が伝えたいことが何となくわかった方もいるのではないでしょうか？

あなたは一言一句同じ言葉を2回、声に出しました。この1回目と2回目では、大きな差があります。

私に「とりあえず言ってみてほしい」と言われたから読んだ言葉と、エピソードのような窮地の経験を通して、あなたから発せられた言葉。

2回目に発した言葉は、最初の言葉とはまったく違うものとなり、共感を呼び、聞いた人の心を動かすのです。このときに「あなたの内側の深い部分で湧き上がっている想い」、その正体こそが「実感」です。

最重要！「実感」が人を動かす

「本当に、ありがとうございました」という言葉を発する明確な理由があると、それがあなたの「実感」に変わります。

「実感」とは、心の底からあふれる真実の想いです。この「実感」こそが、人を惹きつける話し方における最も大切なキーワードです。

話す理由が明確になればなるほど「実感」が生まれ、おのずと結果が出はじめます。話し方が上手いか下手かは関係ないのです。

ビジネスパーソンのプレゼンや話し方などを見るとき、私はまず「実感」しているか、していないかを見ます。たとえ話し方がたどたどしくても、「実感」している人は、人を惹きつけています。これまで3万人以上のビジネスパーソンと関わってきた経験を踏まえると、「実感」こそが人の心を動かす大きな要素です。

私が30代のころ、食品宅配の飛び込み営業で結果が少しずつ出はじめたのも、この「実感」によるものでした。最初は「売らなければ」や「目標を達成しなければ」と考えていたのですが、「子どもたちの食の安全を守る」と「実感」したときに、自分の意識と行動が変わったことをよく覚えています。

仕事で結果を出している人、信頼され人が集まってくる人、プレゼンで企画を通す人、スピーチなどで聴衆の心を動かし感動をもたらす人は、共通して「実感」しています。第1章で紹介した結婚式での男性のスピーチが感動をもたらした大きな理由は、彼が言葉を「実感」していたからです。特に最後の「おめでとう」は、最高といってもいいくらいのレベルで「実感」していました。

このように、**「なぜ話すのか？」＝言葉を発する理由に立ち返り「実感」することが、周りを動かして結果をもたらすための第一歩です。**

あなたも、仕事の場面を想定し、〝誰のどんな役に立つのか？〟など言葉を発するプラスの理由をたくさん書き出してみましょう。

言葉を発する理由を「実感」するための質問リスト

○あなたは誰のどんな悩みを解決できますか？
○相手がまだ気づいていない問題はなんですか？
○話を聞いた人のどんな手助けをして喜んでもらっていますか？
○あなたの話は相手にどんなメリットや利益をもたらすことができますか？
○話を聞いた人にどうなってもらいたいかを一言で表現すると？
○話を聞いた人はどんなプラスの感情を得られますか？
○その企画が実現したら社会にどんなよい影響が出ますか？
○あなたのサービスは地域や社会にどんな貢献をしていますか？

このような理由でも問題ありません。

○自分の話し方が変わり結果が出たら、誰に報告しますか？
○恩返しする人は誰ですか？
○できない自分を見捨てなかった人はいませんか？

○苦しいときにあなたを助けてくれた人はいませんか？

右の質問リストを参考にして、書けるものを紙に書き出してみてください。

② 一致させるべき「発声」と「発想」

心を動かす言葉のたった一つの本質

私たちはなぜ声を出すのでしょうか？

私たちが声を出すのは、自分の伝えたいことを表現するためです。つまり、言葉を発するからには、理由があります。

発声と発想の合致が言葉

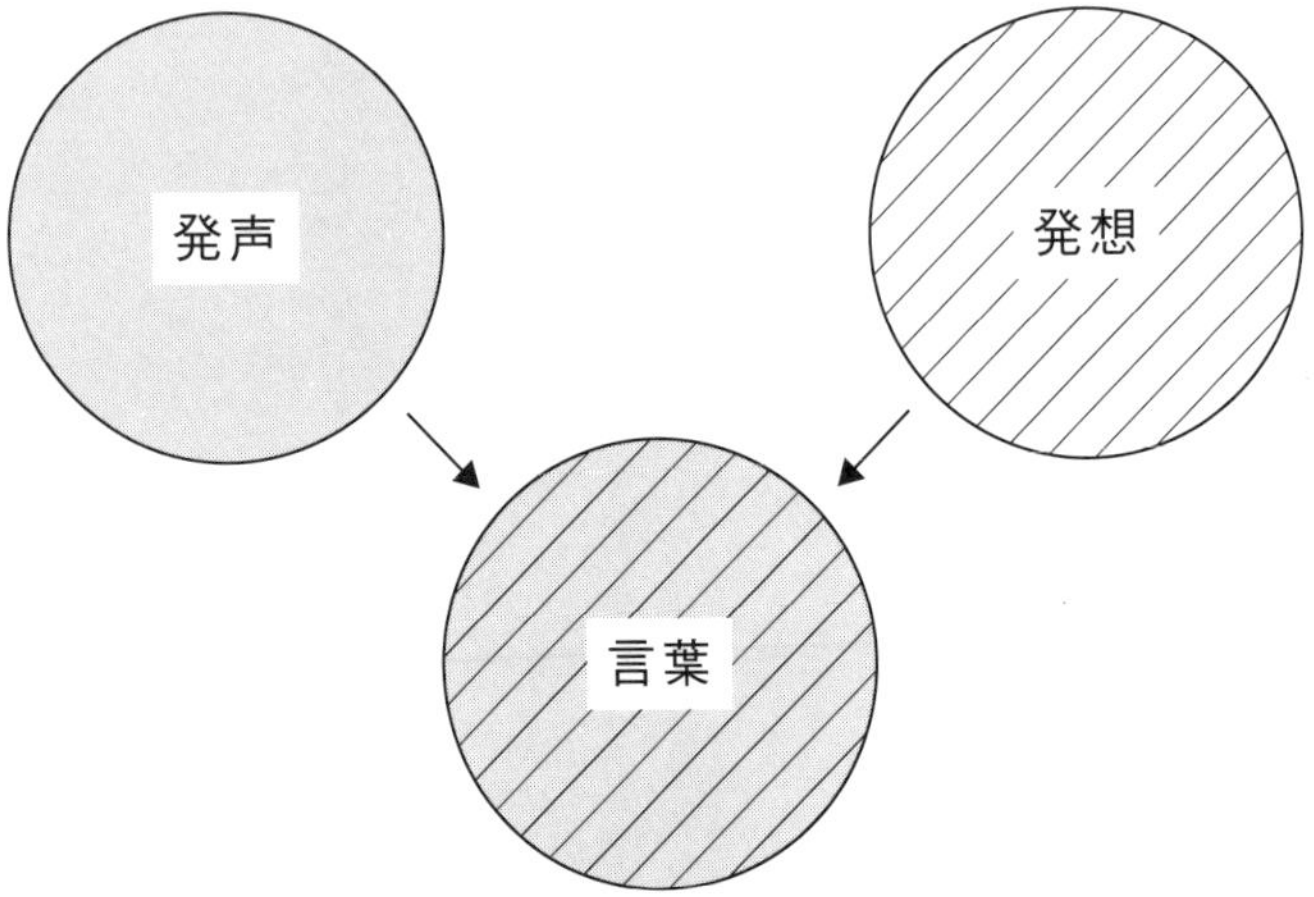

「発声」と「発想」が合致した言葉こそ、人を惹きつける

ここで「発声は発想」というフレーズを紹介します。私たちは声を使って自分の伝えたいことを表現します。発声をするからには発声をする理由があるというのが「発声は発想」であり、発声と発想が合致することにより言葉が生まれるという演劇の世界で使われる言葉の本質です。

たとえば、凍えるような空間に長時間待機して震えが止まらないときに、温かいコーヒーを差し入れてもらったとしましょう。一口飲んだ後の「あぁ……美味しい……」という「発声」が出てきたとしたら、その人の中には「身体が温まって安心した」、さらに、「人の優しさを感じて、心も温かくなった」という「発想」があります。

言葉が、自分の内側からあふれるように出てきます。

この章の最初に紹介した「本当に、ありがとうございました」という一言も、「発声」と「発想」が合致しているからこそ、心に響くのです。

言葉を発する理由に納得していると、取り繕っていない真実の想いがあなたの中からあふれ出ます。そのとき声に出した言葉が、人を惹きつけるのです。

実体験に即して、淡々と語る

「実感」を生み出すためには、この章の最初でお伝えした、「なぜ話すのか?」を掘り下げることが大切です。言葉を発する理由に立ち返り、その理由を掘り下げることで、自分が納得できている状態をつくることです。

そして、いよいよ言葉を発するときにも重要なことがあります。

それは、「実体験に即して話すこと」です。

実体験にはリアリティがあります。自分が見て、感じて、味わったときには、自然と発声と発想が合致します。この実体験によるリアリティが、「実感」を生み出すのです。

逆に、自分が経験していないことを話しても、相手には伝わりません。

どこかから借り物の言葉を拾ってきたり、人の経験をあたかも自分ごとのように話したりすると、「伝えたい」「上手く装わなければ」という気持ちが先走ってしまいます。真の実感が生まれていないときには、人の心を動かすことはできません。真実の言葉が生まれないのです。

たとえば、私が新入社員研修を担当するときのことです。ほとんどの受講生は話すことに苦手意識があるのか、発表の場面になるとメモを見ながらたどたどしく話します。しかし「伝えたいことに具体的な実体験をひもづけて話してみましょう」とアドバイスをすると、ほぼ全員がメモを見ないで自分の言葉で話しはじめます。さまざまな仲間のストーリーに、他の聞き手も共感しています。

一つ大事なこと。経験談はただただ「淡々と語る」のがポイントです。感情的に話すのは〝神経を高ぶらせて意図的に行う情動的なアプローチ〟。それに対して、「実感」は意図的にするものではなく、〝声を出す理由が腹落ちしているときに無意識に起こるもの〟です。だから、わざわざ余計な装飾や脚色もつけずに〝どうしても伝えたい〟といった高揚した気持ちを捨てましょう。

「実感する」と「淡々と語る」を合わせて「実感して語る」としましょう。この「実感して語る」ことこそ、私が浅利慶太さんから習った、惹きつける話し方で人の心を動かす言葉の定義です。

あなたが話し方で人を惹きつけるために今すぐできることは、「実感できる嘘偽りない実体験の素材を作り、自分の中にストックすること」です。この後の第3章で、その方法を徹底的にお伝えします。

③ 普段の「言葉」に革命が起きる「言葉のポジション」

TEDxで異例の35万回再生　言葉の極意

さてここまで、惹きつける話し方で大事な考え方「実感」について話してきました。

「実感」したうえで、どのような意識で、言葉を使えばよいのか？

ここからは、具体的な「言葉の本質」についての理解を深めていきます。

ちなみに、私がこれまでの経験をもとに試行錯誤して創り出したこの考え方を、プレゼンテーションの殿堂であるＴＥＤｘで発表する機会がありました。わかりやすく伝えるために生み出した甲斐もあり、今ではその動画は、日本人では異例の35万回再生を突破しました（ＹｏｕＴｕｂｅで、【感動を創造する言葉の伝え方】と検索してみて下さい）。「この考え方を知って成果が変わった」「共感してもらえるようになった」「スランプを克服した」などたくさんの反響を頂いています。

ではさっそく、図を使いながら解説していきます。

成果を出す人と出せない人の「言葉」の差

「自分の話にあまり共感してもらっている気がしない」
「論理的に丁寧に話したのに、まったく響いていない」
「そこそこしゃべれるのにいつも成果に波がある」
「上手く話せるのに空回りしている気がする……」
「仲間内では褒めてもらえるが実践では全然ダメ……」

なんでだろう……？　自分の話し方のどこがいけないのだろう……？

あなたはこのように思ったことはありませんか？　多くの人がこのような悩みを持ち続

けたまま、解決策を見いだせずに、上手くいったりいかなかったりを繰り返しています。この原因は、世の中のほとんどの人が「言葉」をなんとなく感覚的に扱ってしまっているからです。

人と人とをつなぐのは言葉。人間関係も言葉で構築されています。こんな大事な役割である言葉をなんとなく感覚で扱ったままでいいのでしょうか。

話し方で人を惹きつけるためには、まずは言葉の本質を理解する必要があります。

そのために私がいつもお伝えしているのが、「言葉のポジション」です。

言葉のポジションとは、あなたが発する言葉の出どころを認識するための考え方。これを認識することで、言葉を扱うときの意識が変わります。最重要キーワード「実感」も、この考え方を使うと、より一層理解が深まります。

「頭」「胸」「腹」のどれで話しているか？

言葉のポジションとは何か。ひと言で言うと、「人が言葉を発するときの意識は、3種

言葉には3つのポジションがある

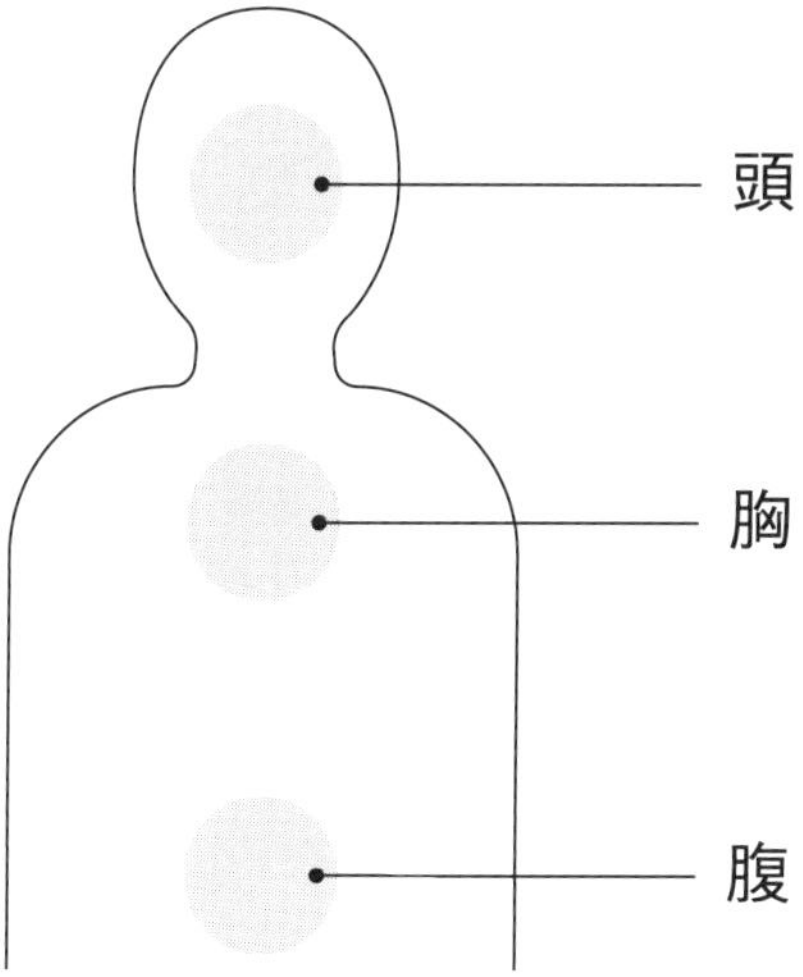

類にわけられる」。そして、「どの意識にスタンスを置いているかによって、相手への伝わり方はまったく異なる」ということです。

「意識」の場所の1つ目は「頭」、2つ目は「胸」、そして3つ目が「腹」です。この3つの意識を理解するためにあるのが、「言葉のポジション」です。

意識のスタンスが「頭」のときの言葉を「頭のポジションの言葉」、「胸」のときの言葉を「胸のポジションの言葉」、「腹」のときの言葉を「腹のポジションの言葉」と私は呼んでいます。

こちらの図をご覧ください。これはあなたが人前で話しているときに、自分の意識がどこに置かれているかを表したものです。

これから、この3つそれぞれについて説明していきます。

先に結論をお伝えすると、「頭のポジションの言葉」と「胸のポジションの言葉」では、人を惹きつけることはできません。

相手の心を動かすために皆さんに伝えたいのは「腹のポジションの言葉」の重要さについてです。

これから先を読んでいくと、「頭」「胸」「腹」、皆さんもどれか経験があると感じることがあると思います。ぜひ、自分はどれに当てはまるか考えながら読んでみてください。

3種の言葉の使い方が結果を分ける〜頭・胸・腹〜

「頭」の言葉は唱えているだけ

まずは3つのうちの一番上の「頭」です。

アイデアが出なくて煮詰まったときなどに、頭を両手で抑えたり、頭を掻いたりすることはないでしょうか。定説はないようですが、私は「自分の意識が頭に向いているから」だと考えています。これを私は「頭」の意識と呼んでいます。

あなたが相手に自分の考えを伝えようとして、意識が「頭」に向かっているのはこのようなときです。

○暗記したことを思い出しながら話しているとき
○用意した資料やメモを読んでいるだけのとき
○ただ知識だけを論理的に一方的に話しているとき

この頭の意識から生み出される言葉を「頭のポジションの言葉」と私は呼んでいます。

「頭のポジション」の言葉のことを劇団四季では「唱えている言葉」といいます。

唱えている言葉は、文字をただ何も考えずに声を出している状態。代表例は、政治家が目線を下にして用意したメモを一方的にただ読んでいるだけのときです。心が動かされますか？　話の内容に惹きつけられますか？　答えはノーでしょう。

就職活動の面接なども同じです。あらかじめ用意した自己紹介などを暗記して話しているだけの学生も少なくないと思いますが、面接で使えそうなフレーズをネットで拾ってコピーして使っても、面接官にはまったく響きません。

頭のポジションの言葉は、「発声」と「発想」が一致していません。発想つまり言葉を発するときに頭の中で考えていることは〝借り物の言葉を間違えないように正確に話す〟なので当然です。

「胸」の言葉は「うわべ」でしかない

次に3つのうちの真ん中の○の部分です。

たとえば、あなたがこれから1000人の観衆の前でスピーチをするとします。ドキドキと緊張して、そわそわ落ち着きません。そんなとき、どこに手を当てますか？

胸に手を当てるのではないでしょうか。胸に手を当てたくなるときの意識のことを、私はそのまま「胸の意識」と呼んでいます。

「胸」に意識が向いて話しているときはこのような状態です。

○過度に緊張して落ち着かない気持ちで舞い上がっている
○伝えなければ、結果を出さなければと焦って心がうわずっている
○感情やテンションを高ぶらせてがんばって必死に伝えようとしている

この「胸」の意識から生み出される言葉を「胸のポジションの言葉」と呼んでいます。

「胸のポジションの言葉」を、劇団四季では「うわべ言葉」もしくは「説明的言葉」といいます。

誰もが「胸」の言葉で落とし穴にハマる

実は、世の中の多くの人は、何かを伝えるとき、ついついこの「胸のポジションの言葉」でアプローチしています。これが最大の落とし穴です。

いざ人を目の前にして本番になると、つい「上手くやらなければ」という気持ちが生まれてしまいがちです。すると、決まってテンションを上げて、感情たっぷりに伝えようとします。声を高ぶらせてプレゼンが終わったときには、なんとなく、自分も精いっぱい上手くやったような気になっています。本当にありがちです。

しかしこれは大きなリスクをはらんでいます。それは、聞き手とのギャップです。テンションや感情を使って情動的に話すことに気がいってしまうと、自分の中で〝しっかりと伝えた〟、〝相手に伝わった〟という自己認識が生まれます。しかしこのとき、聞き手は、まったく違う感想を持っています。

それは、「うわべで説明的でウソっぽいな……」です。

なぜか。それは、ここまででお伝えした、「なぜ話すのか?」に沿って考えるとわかってきます。

主観と客観の乖離

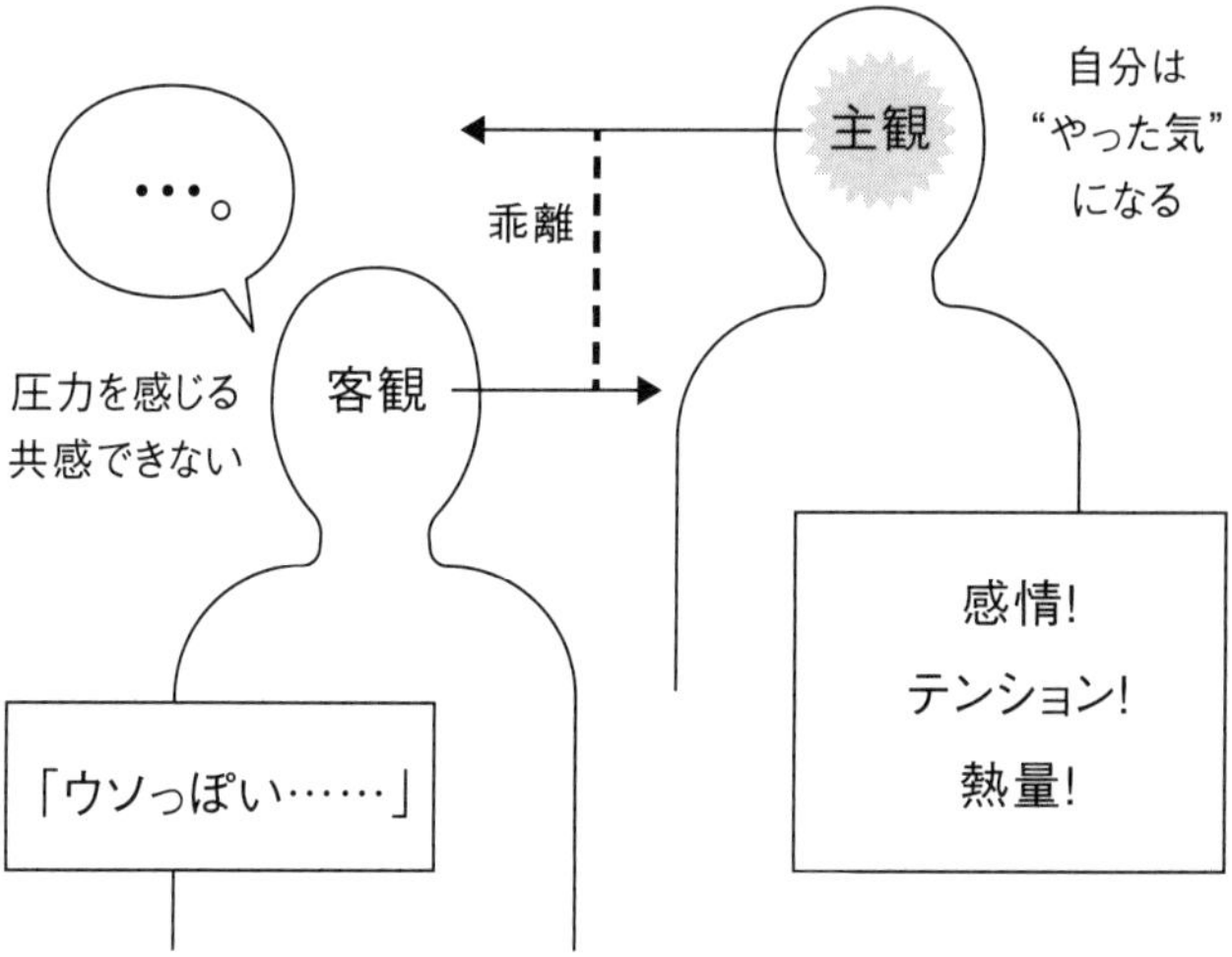

「胸のポジションの言葉」を発している理由はいったいなんでしょうか？　それは「なんとかしてわかってもらいたい」「失敗したくない」「ちょっと、かっこつけたい」といった自分本位の考えです。

胸のポジションの言葉も、実は、発声と発想は一致していません。

なぜなら「発声」するときの「発想」が自分本位（エゴ）になっているからです。気持ちをたっぷり込めたつもりでも、実際には、"自分は伝わったと思うが相手はそう感じない"という主観と客観の大きな乖離を生み出しています。その結果、うわべで説明的でどこかウソっぽい自己満足の表現になってしまいます。

カリスマ浅利慶太さんに「感情を込めるな」と繰り返し教えられた、とお伝えしました。感情を込めてしまうと、どうしても「胸」の意識になりがちです。エゴに近いこの「胸」の意識から生み出されるのは、自己満足の表現。聞いている観客は無意識のうちに冷めてしまいます。

劇団四季の厳しい「稽古」の世界を知っている私は、研修でビジネスパーソンのロールプレイング大会を見ていると、非常に多くの方が「胸のポジションの言葉」でやっているのを目の当たりにします。ロープレで「気持ちが込もっている」と褒められても、現場に行くと空振りした経験はありませんか？　仲間内で慣れてしまうと、主観と客観の乖離が生まれ、初対面の相手に共感してもらえなくなってしまいます。

まとめると、自分は「伝わっている」と思ったのに対し「相手はそう感じていない」というギャップを生み出す可能性が高いのが、「胸のポジションの言葉」なのです。これでは、人を惹きつけることはできません。

「腹」の言葉が人を惹きつける

最後に、一番下の◯の「腹」です。
惹きつける話し方の上で重要なポイントとなるここを私は「腹の意識」と呼んでいます。

腹に意識が向いているときはこのようなときです。
○やると決めたことや覚悟が決まったことを話している
○自分が克服したことや苦難を乗り越えた経験談などを話している
○ありのままの自分として、余計な力が抜けている
この腹の意識から生み出される言葉を「腹のポジション」の言葉と呼んでいます。

頭の意識・胸の意識と腹の意識の間には、一本の線があります。
線の上か下かが、「人を惹きつける」言葉とそうでない言葉の境界線なのです。
さてこの「腹」という日本語が、人を惹きつけるか惹きつけないかをひもとくキーワー

頭の意識・胸の意識と、腹の意識の間には境界線がある

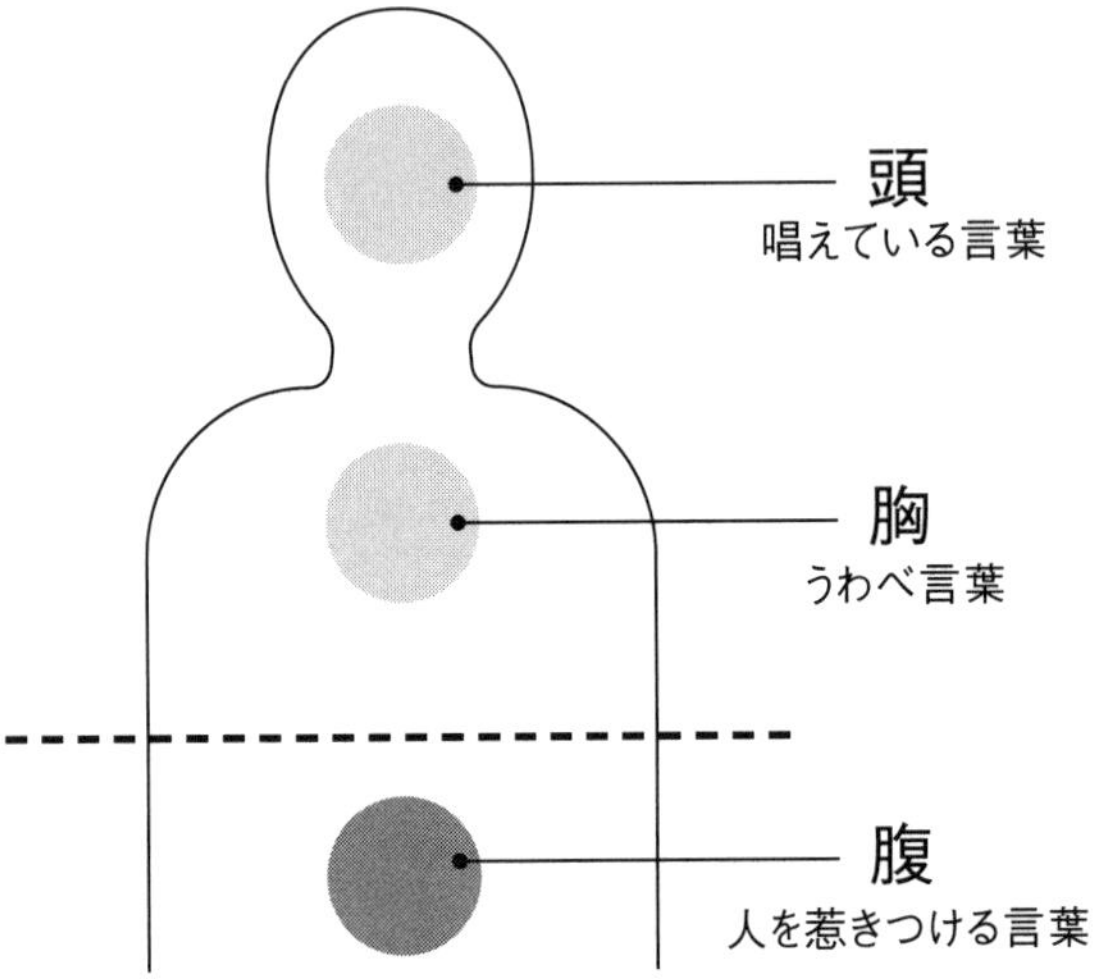

ドです。

日本語では、表面的やうわべではなく一歩深い意思決定やコミュニケーションのニュアンスを表す際に「腹」というキーワードが多く使われてきました。

誰しも気づかないうちに、自然と意識が「腹」に向いているときがあります。

「腹を割って話しましょう」

「あなたのおっしゃることが腹落ちしました」

「絶対に達成すると腹を決める」

いかがでしょう？　他にもたくさんありますが、すべてに共通するのは、**表面的ではなく一歩踏み込んだ「深さ」のニュアンスを感じられる言葉になっていることです。**

なぜ、一歩深いニュアンスを示すときに「腹」というキーワードを使うのでしょうか。

それは、「腹」こそがすべてのエネルギーの起点という文化が日本にはあったからだと私は考えています。武道やスポーツや踊り、歌や呼吸器系を使う楽器の経験がある方はピンとくるのではないでしょうか？「腹」の意識は力の起点として、パフォーマンスに影響する重要な要素です。先人たちが「腹」には何か特別なものがある……と考えてきたからこそ、腹を使った慣用句がたくさんあるのでしょう。


これは、ビジネスシーンや日常会話でも同じです。「腹のポジションから生まれる言葉」が、結果に大きな影響を与える人を惹きつける言葉なのです。

「どのポジション」か？　で日常を観察しよう

私が、劇団四季での経験を活かして講師として生計を立てようと試行錯誤していた30代半ばごろのエピソードです。あるコンサルタントが、私に新規クライアント獲得を目的としたアプローチをしてきたことがありました。

そのコンサルタントが話しはじめたとき、私は言葉に説得力と重みを感じました。スクリプトを暗記して、知識を一方的に説明しているだけの頭のポジションの話し方をする人ではなかったのです。まさに「腹」のポジションの話し方をする方でした。

しかしです。いよいよ最後の「料金の提案」の場面になったとたん、突如、目がおどおど泳ぎだし、言葉が突如、浮足立ってきました。

断られたらどうしよう、料金が高いかもしれない、相手に悪いことをしているかもしれない……。こんな不安になったからかもしれませんね。心がうわずって胸のポジションの舞い上がった言葉しか出てこなくなってしまったのです。

寸前まで彼の言葉に惹きつけられていましたが、そこで私は冷めてしまい、結局提案をお断りすることになりました。

このように、言葉のポジションは仕事の結果に大きな影響をもたらすのです。

「腹のポジション」の言葉。これこそが、「発声と発想」が完全に合致している「人を惹きつける」言葉なのです。

ここまでお伝えした「頭のポジションの言葉」「胸のポジションの言葉」「腹のポジションの言葉」の意識で、まずは日常を観察してみてください。

コンビニの店員さんの「いらっしゃいませ」。

繁盛しているコーヒーチェーン店のお客さまへの挨拶「こんにちは」。

客室乗務員の声のかけ方「どうぞ、お声がけくださいませ」。

病院受付の「お大事に」。

結婚披露宴の司会者の「おめでとうございます」。

行政窓口の対応の言葉「お待たせしました」。

その他、結果を出している人のプレゼンや営業トーク。尊敬する人の言葉。授業やオンライン研修で講師が話す言葉。叩き上げの経営者の言葉……。


唱えていないか?

うわべで説明的なのか?

それとも実感しているのか。

言葉に対する自分の視点を変えると、見える世界や聞こえる世界が変わります。

④「話し上手」が陥るスランプ「言葉の鮮度」

話し「慣れる」と失敗する

ここまで、人を惹きつけるのは「腹のポジション」から生まれる言葉であり、「頭のポジション」と「胸のポジション」の言葉では人を惹きつけることは難しいことをお伝えしました。

きっと、今までの自分の言葉について、考えはじめている方もいるかもしれません。

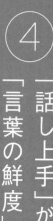

実はこの「言葉のポジション」、多くのビジネスパーソンを悩ませる、ある状態と密接に関係しているのです。

それは、スランプ。あなたは仕事でスランプに陥ったことはありませんか？　初期のころは自分のプレゼンやトークで受注や成約をいただけたのに、ある程度経験を積んできた今のほうが逆に結果が安定しなくなり売上が先細り、急に結果が出なくなってしまった。けれど、その理由がわからない……などと悩んだ経験があるかもしれません。

このスランプ状態を、「言葉のポジション」で考えてみましょう。

一般的に、何回も同じ説明をすると人は話す内容を完全に覚えてしまいます。営業の方であれば、誰しも鉄板トークを持っているのではないでしょうか？

実は、それを繰り返していると無意識のうちに「慣れ」が起きてしまいます。一番恐ろしいのは、自分が慣れてしまっていることに気づいていないことです。慣れてくると、使っている言葉がダレてしまっている可能性が高いのです。ダレるとは、緊張感と「しまり」がなくなることです。

「言葉のポジション」では、この状態は以下のように表すことができます。

自分では腹のポジションを意識できていると思っているが、「慣れ」によって、胸のポジションになってしまっている。

この状態から抜け出すためには、どうすればよいのでしょうか？

ダレた言葉はバレてしまう

ここで、皆さんにこのフレーズを紹介します。

「言葉には鮮度がある」

たとえば、あなたが何かのお祝いで高級な寿司店に食べに行ったとします。もし寿司職人が惰性で寿司を握っていて、シャリにしまりがなくボロボロ崩れてしまっていたら、もう二度とその店には行かないはずです。

言葉もこれと同じです。たとえ一度「実感」して身につけた言葉でも、あなたが発する言葉が慣れによって崩れてくると、あなたの話を聞いた相手は共感も感動もしなくなってしまいます。結果が出るわけもありません。

相手は無意識のうちに、あなたの言葉の鮮度を感じとっています。まだ初々しいころは、自分の意識の中に「新鮮な気持ち」があるので、自然と言葉を「実感」できています。

慣れてくるにしたがって、最初はあったはずの「実感」がなくなり、徐々に胸のポジションの言葉になるのです。

プロの寿司職人は、何回握ろうとも最高の寿司を提供してくれます。これと同じように、鮮度の高い言葉を、話を聞いてくれる相手に届けなければ結果を出し続けることはできません。

私はたくさんのビジネスパーソンの話し方を見てきましたが、ときどき鳥肌が立つほど感動するプレゼンに出会うことがあります。新入社員に〝過去の失敗を乗り越えた実体験〟を組み込んでもらったときが代表例です。正直、話し方がたどたどしいと感じることはありますが、社会に踏み出す不安を乗り越えようとする勇気を「実感」して語っていて、新鮮な飾らない初心があふれています。伝わり方が違うのです。

そのような新人でも、成果が出たり、しゃべれるようになったり、プレゼンが上手くなってきたり、いわゆる切り返しトークなどを覚えたりしてくると、慣れが起きます。そのようなときこそ、要注意です。

では、慣れを防ぐにはどうしたらいいのでしょうか？

答えはシンプルです。「初心」に立ち返る仕組みを作ることです。

『ライオンキング』開演前・伝統のルーティン

私は劇団四季時代に人気ミュージカルの『ライオンキング』に出演していました。劇団四季で20年以上も上演を続けているロングヒット作です。なぜロングヒットするのかというと、何千回同じ舞台をやろうが必ず「なぜ話すのか？」に立ち返り「毎日が初日」と思って出演者たちが舞台に臨んでいるからです。

たとえば『ライオンキング』で先ほどの「あぁ……美味しい」という言葉を観客に届けるとしましょう。連続して舞台に出演を続けている俳優は、セリフを完全に覚えてしまっていて、何も考えなくても言葉が出てくる状態です。もし、このままの意識で幕が上がると、その舞台は学芸会レベルに成り下がり、徐々に観客は劇場から去っていきます。

それを防ぐための習慣が、「『なぜその言葉を発するのか？』を台本の余白に書き込んでおいて、上演前に毎回チェックすること」です。

「おこづかいを1年間貯めて、新幹線に乗って地方から劇場に来ている子どもが客席にいるかもしれない。客席にいる観客の人生には、一人ひとりそういった背景がある。もし出演者が慣れたところでやったら、その子どもの努力を裏切ることになる。自分たちは舞台に立つことが日常でも、お客さまにとって、舞台鑑賞は非日常。だから、出演者は絶対に舞台に出ることに慣れてはいけない。毎日が初日」

こういったプロの心構えも、カリスマ浅利慶太さんから徹底的に学びました。

「初心」。これは、舞台だけの話ではありません。劇団四季で培ったプロの心構えの話をすると、結果を出しているビジネスパーソンや経営者の方ほど、「気が引き締まった……」と驚いていることが多いです。

劇団四季で鍛えるのは、演技ではなく「挨拶」

私が在籍していた劇団四季では、この「実感して語る」を全員の指針に掲げて言葉を磨き続けるプロの集団でした。言葉が商売道具の世界ですから、当たり前かもしれません。

劇団四季の稽古で、驚いたことが2つあります。

1つ目は、演技の仕方などまったく教わらなかったこと。それよりも、これまでお伝えした「その言葉を発する理由」を徹底的に深掘り、毎回鮮度を保って「実感」することが重要視されていました。再現性高く、観客に「感動」を届けることを信念としている組織だったのです。

2つ目は、日常で行う「挨拶」が徹底されていたこと。相手の目を見て、自分の大切な宝物を相手にプレゼントするかのように「おはようございます」と伝えることを、何よりも大切にしていました。毎日、正確に再現することをトレーニングにするほどでした。

あなたの言葉はどうですか？　自社のお客さまへの挨拶や電話対応はどうですか？　慣れていませんか？　慣れにより言葉の鮮度が落ちると、「実感」がなくなって、人を惹きつけることができなくなります。クレームの原因にもなりかねません。

先ほど、「さまざまな職業の方の言葉を見て、聞いて、感じて、言葉に対する自分の視点を変えてみましょう」とお伝えしました。

「毎日が初日」と思って、鮮度抜群の言葉で声かけをしているのか？

それとも、慣れによって崩れているか？

ぜひ、言葉の「鮮度」という視点でも、世の中の言葉について観察してみてくださいね。

⑤「実感して語る」ための4ステップ

この本を手に取って、ここまで丁寧に読み進めてもらって、ありがとうございます。

第2章ではここまで、惹きつける話し方の本質を説明してきました。

惹きつける話し方で結果を出して、人生を変えるためには、あなたの話で〝人の心を動かす〟必要があります。人の心を動かすには、話が上手い・下手ではなく「実感して語る」ことが必要です。

では、ビジネスパーソンがいつでも「実感して語る」ためにはどうしたらいいか？ 本章の最後に、まとめとして、ビジネスの現場で「実感して語る」ことができるようになる4ステップを紹介します。

STEP1：「なぜ話すのか？」 言葉を発する理由に立ち返り、掘り下げる

ＳＴＥＰ２：「腹のポジション」で話せるように、徹底的に情報をインプットする
ＳＴＥＰ３：自分の経験・体験談とひもづける
ＳＴＥＰ４：飾らず、演じず、淡々と自分の言葉で語る

STEP 1

「なぜ話すのか？」言葉を発する理由に立ち返り、掘り下げる

このＳＴＥＰ１が大前提です。

ビジネスなら、あなたのサービスによって、エンドユーザーが得られる感情や価値、そして誰のどんな役に立っているのかを深掘りして、言語化しましょう。とても大切なことです。

あなたが組織に属している場合は、企業理念や事業ミッションの中に、エンドユーザーが得られる価値が隠されています。それを自分ごととしてとらえ、信念にしましょう。

この章のはじめにお伝えした〝言葉を発する理由〟に対する質問の答えはもう書き出しましたか？　その理由こそが、あなたが実感して語るための土台です。まだ書き出してい

ない方は、ぜひ一度、自分と向き合う時間を取って書き出してみてください。

STEP 2

「腹のポジション」で話せるように、徹底的に情報をインプットする

本章でお伝えした「腹」のポジションです。私は、「腹落ちする」とは、その言葉を発する理由を腹に満たして、理解・納得できている状態にすることだとお伝えしています。自分の扱うサービスや商品の知識、開発背景などの情報も同じです。何を聞かれても動じないほどの圧倒的な知識を、まずはインプットしましょう。そもそも、自分が理解できていないものは実感して語れません。

このとき、大前提であるSTEP1の「なぜ話すのか？」＝言葉を発する理由を掘り下げておくと、インプットの質と、モチベーションが上がります。

インプットするときは、ぜひ結果を出している人からたくさんの情報を吸収しましょう。

私がかつて営業職をクビになったときは人に聞こうとしていませんでしたが、劇団四季を卒業した後の再チャレンジでは、その反省を活かして、トップセールスの方にしつこい

くらいに商品の裏情報などを質問していました。

STEP 3

自分の経験・体験談とひもづける

日ごろから、リアルな経験談を集め続けましょう。経験・体験談のストックと話す内容を関連させると、自然と「発声と発想」が一致して、「実感」につながります。経験談、体感したこと、逸話、失敗して学んだこと、チャレンジしていること、克服したこと、感動した話、お客さまから直接頂いた言葉などです。このSTEP3の詳しい方法は、次の第3章「話すための書く練習」で説明していきます。

STEP 4

飾らず、演じず、淡々と自分の言葉で語る

別人を装わず、演じず、等身大の自分で相手に向き合い、淡々と自分の言葉で語りま

しょう。上手く話そう、よく見られたい、評価されたい、バカと思われたくない、などといった自分都合の考えをすべて捨てる必要があります。お面をかぶって別の自分を装っているうちは、うわべになって実感できません。等身大の自分を見せることは怖いかもしれませんが、最終的には、別人を装って関わるよりも気持ちがラクになります。ありのままの自分で淡々と語りましょう。

大前提のSTEP1を土台にして、STEP2～4を実践してみてください。これらが上手くつながって一貫性が生まれたとき、地下からあふれ出る湧き水のように、あなたの「腹」の底から「実感」を伴った嘘偽りのない純粋な言葉が出てくるのです。

私が飛び込み営業としてなかなか契約が取れずに悩んでいたときに、「契約を取ろう」、「商品の魅力をとにかくPRしよう」と必死で、劇団四季で培った〝実感して語る〟を実践していないことに気づきました。まさに胸のポジションの営業マンだったのです。そこで実感して語れるエピソードや経験談の引き出しを書き出しておいて、現場でどれが相手に響くかを試し続けました。そのなかでも、餌に抗生剤を使わない高品質で安価の豚肉を食

「実感して語る」ための4ステップ

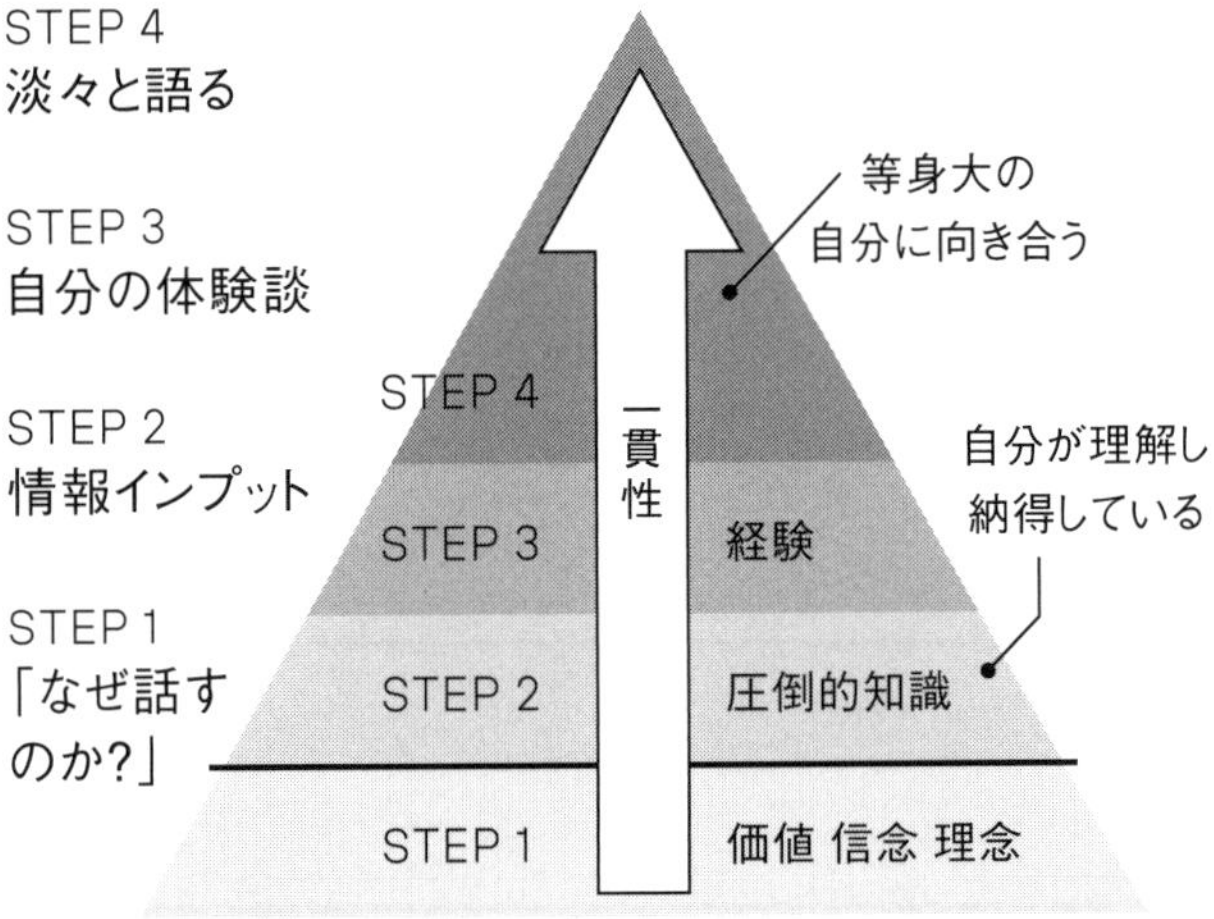

べたときの感動の話は鉄板でした。お客さまから直接頂いたおすすめ商品を食べた感想もストックして積極的に現場で共有していました。腹で語れる営業マンになれたことにより、成果は明らかに向上しました。

このようにさまざまなビジネスシーンでなんとなく話すのか、それとも実感して語れるようになる4ステップを指針にするかは大きな差です。

浅利慶太さんは「名優は大根役者からしか生まれない。下手くそで不器用な人ほど、素直にやり続けて最終的には一流になる」とよく言っていました。この言葉にどれだけ勇気づけられたことでしょう。

これは演劇の世界だけの話ではありません。「自分は口下手で不器用だ」と思う人こそ、この4ステップに立ち返り素直にコツコツと積み上げれば、あなたの話し方で人を惹きつけることができます。

第3章

人を惹きつける人は「まず書く」

① 「話すための書く練習」からはじめよう

いきなり話さずに「書く」理由

「大切なことはよくわかった。まず何からはじめたらいいの？」

「何か特別に難しい訓練をしなければいけないのではないか？」

こう思われた方がいるかもしれません。ではここから、人を惹きつける話し方を身につけるために具体的で簡単な練習方法を紹介します。

それは「書く練習」です。

「えっ？　話し方なのに書く練習？」。ひょっとしてこう思ったかもしれませんが、決していいかげんなことをいっているわけではありません。

これからお伝えするのは、ただの書く練習ではなく、「話すための書く練習」。これによって、人を惹きつける話の素材が「腹」にどんどんストックされていきます。同時に、ある程度の基礎が身につきます。

書く行為は、あなたの中にある漠然とした想いや考えを言葉に変換する訓練です。先ほど第1章で「発声」と「発想」の合致が重要とお伝えしました。書く練習は、そのための練習です。発声と発想の合致により言葉をつむぐ練習は、いきなり話しはじめるよりも、まずは書いてみるほうがやりやすいのです。

一流の文章力はまったく不要

書くためには頭の中を整理し、まとめる必要があります。頭で整理できてない・まとまってないものは、当然ながら話せないし実感もできません。

一つ、大事なことを。この練習の目的は、作文が上手くなることではありません。あくまで、「話すための書く練習」。惹きつける話し方を身につけて、仕事で結果を出すための土台作りです。続ければ基礎ができあがっていきます。

しゃべりのプロであるお笑い芸人さんは、話し方を歩くときのテンポにたとえます。ゆっくり普通に歩いて突然ストップ。しばらく間を取った後、ゆっくりゆっくりすり足で前に進んだと思ったら、突然走りだしてスキップ&ジャンプ。

素晴らしいテンポ感の天才的なお笑い芸人さんも、最初からあのように話せたわけではありません。赤ちゃんが生まれてからハイハイを経由して、ゆっくりと二足歩行をはじめるのと同じです。特に口下手な人にとっては、書く練習は惹きつける話し方を身につけるための「赤ちゃんのハイハイ」のプロセスであり、惹きつける話し方を身につける絶好のトレーニングなのです。


これからお伝えする「話すための書く練習」により、実感できる話の素材が腹にどんどんストックされていくのと同時に、人を惹きつける話し方の型が身につきます。

不安に感じる方がいるかもしれないので、ある口下手の方が「書いて」大変身したストーリーを、ここでお伝えしますある方とは加納由理さん。マラソン女子の元日本代表選手です。現役引退後の人生をどう歩んだらいいか悩んでいたときに偶然、人からの紹介でご縁があって出会い、アスリートのセカンドキャリア支援として、惹きつける話し方の特訓をすることになりました。

加納由理さんに私がはじめて会ったときの印象は衝撃的でした。本人に許可をいただいてお伝えしますが、目を合わせない、挨拶もしない、社交性がまったくなくコミュニケーション能力がゼロ、というよりはむしろ超マイナスだったのです。

マラソンで走って記録を出すことにすべてを賭けて生きてきたからか、見知らぬ外部からの関わりを完全にシャットダウンし鉄仮面で無反応。その雰囲気で周りをすぐに凍らせてしまい、口下手とか人見知りの次元をはるかに超えているような人でした。

そんな加納さんですが、ここから紹介するトレーニングの結果、日本を代表する芸術祭のビジネスコンテストのプレゼンで入賞し、芸術とランニングを融合した夢の企画を実現させました。現在はその飾らないピュアなハートと笑顔で人を惹きつけ、ランニングのイベントで大勢の前でスピーチしたり講演会もしています。

変身前と変身後に実践したのが「書く練習」です。ビジネスコンテストに出場するためにはとても地味なことでしたが徹底してやりました。

書くためには頭の中を整理しまとめる必要があります。頭で整理できてない、まとまってないものは、当然ながら話せないし実感もできないと考えたからです。

コンテスト本番まで半年を切っていたので、まず集中して、実感できる素材を集めるために自分のこれまでの人生の棚卸しをしてもらいました。


人生の棚卸しとは、幼いころから時系列で立ち返り、小さな成功体験や達成経験、失敗や挫折経験、影響を受けた人や本やエンターテインメント、ターニングポイントや心の支えとなった言葉や出来事など細かく振り返ってもらうことです。

そこから、なぜそれができたのか？　そのときどのような気分だったのか？　なぜ続けられたのか？　なぜそう感じたのか？　そこから何を学んでこれからどうしていきたいか？　経験を通して人にアドバイスできるとしたら？　などをブログに記事として細かく書き出し、自分と徹底的に向き合って文字をつむいでもらいました。

ブログは人に読まれるため、書く際に集中力が発揮されます。簡単に修正が可能、さらにスマホさえあればストックした記事をいつでもどこでも繰り返し読んで、書いた内容を自分に落とし込めるメリットがあります。

コンテスト本番から逆算して月に8記事、合計40記事を目標に書いてもらいました。ちなみに彼女は最初、2週間で2行（100文字ほど）しか書けませんでした。しかし彼女はこれからセカンドキャリアを歩むために、走るよりも〝話す〟ことが絶対に必要だったうえ、どうしても話し方を克服したい強い思いと危機感があったので素直にやり続けました。

あなたも一度時間を作って人生の棚卸しをしてみてください。幼いころからの自分に立ち返り、さまざまな出来事を細かく振り返りましょう。加納さんは天真爛漫だった少女時代を思い出し、その自分を人に開示していいことがわかると笑顔が少しずつ戻りました。人生の棚卸しは実感できる経験談の素材集めだけでなく、あなたの素の自分を見つけるヒントになります。ポイントは成功体験や嬉しかった思い出などハードルを下げに下げ細かくすることです。

人見知りで口下手な加納さんの表現力の成長の過程をゼロから見ていると、赤ちゃんがハイハイして進むところからつかまり立ちをして伝い歩きをし、ゆっくり歩けるようになっていくかのようでした。

頭脳をフル回転させて書いてもらった実感できる経験談を、右足左足を慎重に前に出すように少しずつ話しはじめたのです（詳しくは加納さんの公式サイトのコラムや、ブログ（ｎｏｔｅ）をご確認下さい。成長の一端を感じられるはずです）。

書けない人は「話せない」のは当然

なぜ、私が「書く」ことを重要だと考えているのか。それは、ある法則を発見したからです。

「書けない人は話せない」です。

私は企業研修の講師として、さまざまなビジネスパーソンと関わってきました。研修の現場ではこちらから一方的に受講生に向かって話すだけではなく、講師の話を聞いてどう思ったか？　何に気づいたか？　を考えてもらい、仲間同士で共有する時間をつくるようにしています。

そのとき私は、いきなり「ではグループで話してください」とは言いません。

もう少し丁寧に、「それではこれから、ここまでの話を通して皆さんが思ったことや感じたことや気づきをグループで話していただきます。時間を5分取ります。話す内容をテキストに書いてください」と言って、いったん頭を整理して書いてもらいます。

実は、このように丁寧に促しても、手がまったく動かない人、考えることを放棄する人、頭が停止している人がいます。

いざ5分たっても、書けていないので当然ながら話せません。一言二言、単語を並べるだけしか書かない人も同じです。

つまり、「書けない人は話せない」。

「書けない」→「頭の中が整理されていない」→「話せない」のです。

ちなみに、「書くのは苦手だけど自分は話せる」と自称する人は、講師の意図を汲み取らずに、ずれたことを一人で話し続けてみんなの時間を奪ってしまう傾向にあります。

逆を言うと、たとえ口下手、話し下手でも「話すための書く練習」を繰り返していくことで、瞬時にふさわしい言葉を無意識に選んで、相手に届けることができるようになります。

それが相手に役立つ情報だったら「ありがとう」と感謝されたり、「もっと聞きたい！」と人から必要とされます。

②「書く」と人生が変わる理由

得られる5つのメリット

「考えや想いはなんとなくあるのだけど、言葉が出てこない……」

こういった悩みを解決するのが、これから紹介する「話すための書く練習」です。

先ほどもお伝えしましたが、私たちの頭の中には、いつも漠然とした考えや想いがあります。その考えや想いを、適切な言葉にして自分の中から引き出し相手に届ける行為が〝話す〟ということです。

言葉が上手く出てこない人は、言葉を自分の中から引き出せていない状態です。その原因は、「そもそも自分の中に言葉が存在しない」、もしくは「あってもそれを瞬時に引き出せない」「ふさわしい言葉を選んで、つむぐことができていない」のどれかでしょう。

〝書く〟のは、その言葉を自分の中にストックし、〝考え〟や〝想い〟を言葉に変換するための話す前の訓練なのです。

ではここで、皆さんに、〝書くこと〟で得られる5つのメリットをあげておきます。

書くことで得られる5つのメリット

1知識としての語彙が増える
いざ書こうとすると、適切な言葉が出てきません。みんな同じです。そこで考えはじめます。適切な言葉は何か？ 自分の中にまだ存在しない言葉を〝考え、検索して、調べて、それを使用する〟の繰り返しを通じて、語彙がだんだんと増えていきます。

2言葉が身体にストックされる
知識としてはすぐに思い出せなくても、ふとしたきっかけで、口から自然と言葉が出てくるようになります。とくに経験談など自分のエピソードを書く練習を通じてまとめると、ひもづいた言葉が無意識のうちにあふれ出ることがあります。

3深く考えるチャンスになる

何か失敗したときや問題が起きたときにも、書くことで物事をより深く考えるチャンスが増えます。「そもそも根本的な原因は何か？」のような問いなどを通じて、問題や失敗を人のせいにすることも減ってきます。人としての魅力も深まります。

4振り返りの習慣が身につく

上手くいったこともいかなかったことも、「振り返る習慣」が最強の学習効果をもたらします。自分と向き合い、改善して次につなげる、いわゆる「ＰＤＣＡ」が無意識のうちに回りはじめます。忙しい日々の中でもいったん立ち止まって考えることができるので、長い目で見ると思考の量に大きな差がつきます。

5自分を客観的に見る目が育つ

紙やモニターに文字を起こすプロセスを通じて、自分の考えや感情を自分から切り離すことができます。ロールプレイングゲームで画面の中のキャラクターをコントロールするときの自分のように、少し俯瞰的に、客観的に眺めることで、現実を冷静にとらえられるようになります。

「書く」ことで頭の回転が速くなった

筆者の私も、書くことによって「話せない」を克服してきました。フリーター時代を乗り越えられたのも、最近では研修講師として人前でフリートークができるようになったのも、「話すための書く練習」の力が大きいです。

もともと私は営業職をクビになった苦い過去があり、企業でビジネスパーソン向けにフリーで何時間も話すのは恐怖以外の何ものでもありませんでした。劇団四季での稽古を経て、〝決まったセリフを正確に〟届けるのはできるようになっていたのですが、研修の場で大勢の前で臨機応変に話すのは、まったくできなかったのです。

今、研修講師として受講生を惹きつけるように話せるようになったと確信を持って言えるのは、最初の基礎トレとして徹底的に「書いた」からです。

私は、もともと「頭の回転が遅いために質問など臨機応変に即答できない」というコンプレックスを抱えていました。

しかしあるとき、「一度じっくりと考えを整理して、書いてまとめた内容はすぐに答えられる」ことに気づいたのです。ということは、日ごろから頭を整理して書く練習をして習慣にしてしまえば、それが自分の受け答えをする力につながるのではないか。くわえて、量を積み重ねて自分の頭の回転も速くなれば、コンプレックスも解消できるのでは、という狙いもありました。

ビジネス書や実用書を読み、本から得たコンテンツを自分のブログにまとめる「書く練習」を繰り返しました。

書くことによって当時まったく知らなかったビジネス用語を少しずつ覚えていきました。まさに、先ほどのメリット1「知識としての語彙が増える」です。

自分の経験をビジネスに変換する方法、わかりやすく伝える方法などを書いて練習しました。書いた内容を暗記はしませんでしたが、よく見返していました。そのため、講義中や質問を受けたときなどは、頭をひねって文字にして書いたフレーズなどが無意識に口から出てくることが頻繁に起きたのです。メリット2「言葉が身体にストックされる」です。

書くことは確実に皆さんの話す能力を高め、それが現場で自分を守ることや助けることにもつながります。

すべてを「人を惹きつける話」に変換する

5つのメリットの残りの3つ、3「深く考えるチャンスになる」4「振り返りの習慣が身につく」5「自分を客観的に見る目が育つ」に焦点を当てて詳しく解説していきます。これは人を惹きつける話し方のうえでも重要なポイントです。

いきなりですがここで皆さんに質問です。皆さんは日々の生活は前向きで楽しいことばかりですか？

必ずしもそうとは限らないのではないかと思います。生きていると、いいことばかりではなく、辛いことや失敗して傷つくこと、思った通りにいかないことが必ずやってきます。

仕事でミスをした。上司に怒られた。プレゼンで記憶が飛んでしまった。会議で詰められて何も言えなかった。家族と大ゲンカした。想いをよせる人にふられた。

これをそのままにしておくと、マイナスに考えて自己否定したり、自暴自棄になったり、不平不満にあふれて問題を人や世の中のせいにしたり、お酒やギャンブルに逃げてしまったりするかもしれません。

実は、これらのマイナスの出来事を〝コンテンツ〟ととらえなおして、人生を変えるための一歩が、この「話すための書く練習」なのです。

マイナスの出来事をどうとらえてどう行動していくかが、人を惹きつけるか人が離れていくかの差になります。

いかがですか？　皆さんも「書いて人生を変えてみよう」と思いませんでしたか？　では、次からはいよいよ具体的な「話すための書き方」を紹介していきます！

③ 初級編・誰にでもできる「話すための書き方」テンプレート

型に当てはめればすぐにマスターできる

では、さっそく「話すための書き方」をあなたに紹介していきます。……が、ここでいきなり「とにかくがんばってたくさん書きましょう」なんて乱暴なことはもちろん言いません。

「研修で手が止まってしまう人は、どうしたら書けるようになるのだろう?」と私は悩んできました。そして試行錯誤をした結果、まずはテンプレートにしたがって書く練習をすれば、書けるようになっていく可能性が高いことに気づきました。

ここからその具体的なテンプレートを紹介していきます。

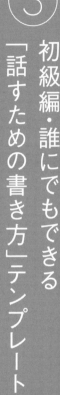

「話すための書き方」には大きく分けて初級編と上級編があります。

初級編は先ほどの「書く5つのメリット」を自分のものにするための練習です。まずは語彙力を高めつつ、実感して語るための素材のストックをしていきます。上手くいかないことや困難なことさえも人を惹きつける話の素材として伝えられるような、魅力的な人になるための方法をお伝えします。

上級編はレベルが上がりますが、初級編との大きな違いは、自分のため(For Me)か、人のため か(For You)かです。上級編では「相手に有益な情報を提供できるようになる」ための練習をしていきます。

この練習により、お客さまとの雑談や朝礼でのスピーチ、企画のプレゼンなどで話すときの型が自然と身につくので、さりげない会話だけで人との距離が一気に近くなったり、大勢の前でもスムーズに話せたりします。

「だから何？」でも書いてしまおう

話すための書く練習のテンプレート初級編はこちらです。これを実践することにより5つのメリットが手に入るのですが、まずは1「語彙が増える」と2「言葉が身体にストックされる」が培われることを体感してみてください。

【コンテンツ】→【気づき】→【行動】

【コンテンツ】日々の生活の中で自分が経験・体験したことや出来事は、すべてコンテンツです。YouTubeで見た動画も、読んだ詩や本や映画も、購読しているメルマガやビジネス雑誌なども同じです。

【気づき】コンテンツを通じて、自分の中で新しく生まれた気持ちです。単なる感想から、アイデア、視点、考えや問題点もすべて気づきです。

【行動】気づきを踏まえて、コンテンツから何を学び、「自分に」どう役立てていくのかを文字にしましょう。これからやってみようと思ったこと、実行すると決めたことです。アイデアベースで構いません。

例として、実際の私のメモを紹介します。


【コンテンツ】先日、電車の中でスマホを見ていたとき、ふと顔をあげると富士山が見えてとても綺麗だった(↓体験)。

【気づき】車内に目を移すとその場にいた全員がスマホを見ていて、富士山に気づいていなかった。スマホよりも大切なものはたくさんあるとそのとき思った(↓考え)。

【行動】スマホに人生を支配されないようにまずは1週間距離を置いてみよう(↓未来)。

最初は、このような3行程度の日記レベルでいいので続けていきましょう。量をこなすと文量も徐々に増えていきます。

いかがでしょう。難しそうですか?

もしかしたら、例を読んでみて「だから何?」と思った方もいるかもしれませんね。書く内容自体は、それくらいのことで構いません。

この書く練習の目的は、【気づき】を抽出すること。自分が経験したことを垂れ流しにすることがなくなります。これが話すための言葉をストックするうえで大切です。

書く行為を通して考えたことが文字となって見える化され、自分が書いた文章を何度も見返すこともできるので語彙を増やすうえでも効果が出ます。

人生は素晴らしいネタでいっぱい

ちなみに、【気づき】が書けない人は考える過程を放棄してしまっている可能性が高いです。最初は感想でもいいので言葉をつむいでいると思って、考えて、考えて、考えて、適切な言葉がわからなかったら調べて、調べて、書きましょう。

〝気づき〟が難しい方は、最初は〝感想〟でもいいです。気づきは新しく生まれた視点や考えに対し、感想はただ思ったことや素直に感じたことです。

どうしても書けない方は、このような日記でも大丈夫です。

【コンテンツ】実家に久しぶりに帰ったら母がご馳走を作ってくれた。（↓事実）
【気づき】とても美味しくて子どものころの気持ちに一瞬で戻った。（↓感想）
【行動】母ももう歳だ。これからは半年に1回でも帰省するようにしよう。（↓決意）

紙のノートでも、スマホのメモでも、なんでもOKです。わざわざタイトルを書かずに、3つ箇条書きをするだけでも大丈夫です。思いついたら、まずはパッと3行書いてみてください。時間がなければ、まずは単語を書き留めるだけでも構いません。

煮詰まったらいったんやめてリフレッシュしましょう。ぼーっとしたときやリラックスした瞬間に〝気づき〟が浮かび上がることが頻繁に起こるようになります。そのときは忘れないうちにメモやスマホに録音をして後で書いて整理しましょう。

『LIFE is CONTENTS』という言葉があります。書く練習を続けると人生はコンテンツ（ネタ）にあふれていることに気づきはじめます。日々の生活の視点が変わり、さまざまな発見があるだけではありません。実際に話すときのネタや新しい言葉がストックされていくのに加えて、自分の仕事に役立ついい情報に自然と目が向きます。自分が周りからたくさんのことを受け取っていることにも気づき、大きな成長につながります。

「こんな文章、恥ずかしい」は「30点でOK」と考える

ここで絶対気をつけてほしい注意点があります。**それは「最初からいきなり完璧を目指さない」ということです。**

失敗する人によく見受けられるのが、最初から100点を目指そうとしてしまうケースです。この100点至上主義ははっきりいって受験勉強や偏差値教育の弊害です。

30点でOKとしましょう。30点とは自分の評価が「こんなのではとてもダメだ」「人に読んでもらうなんてとんでもない」「こんな文は恥ずかしい」と感じる落第点レベルと考えてください。このような言葉が思い浮かんだら私からのOKの合図です。

いきなり100点を目指すのではなく30点から〝どうしたらもっとよくなるのか〟を常に考えていきましょう。量を積み重ねて、改善を続け、30点から、31点、32点……と1点ずつ質を上げていく方が、はるかに価値があります。

自分のなかで1～3割の出来でも充分です。正解はありません。まずはテンプレートに沿って書いてみてください。コンテンツから何を学んで、どう活かすのか。文字にできる

ように、頭に汗をかいて考えましょう。

たくさん書くことにより質が上がり、徐々に結果が出て理想の姿に近づいていきます。

情報の宝庫「トラウマ、失敗、黒歴史」

失敗した直後など、辛くてどうしようもないときは、その気持ちをありのまま書き殴りましょう。意外と心がスッとするものです（心理学ではカタルシス効果ともいいます）。その紙を丸めてゴミ箱にポイと捨ててしまっても構いません。時間を置いて冷静になったら、あらためて〝書いて〟整理しましょう。

ネガティブな思考になるのはOKです。しかし〝書く〟ときはネガティブはNG。そこから何を学び、どう役立てていくのかを文字にし、とらえ直すのです。これを私は「失敗から得た成果の抽出」とお伝えしています。これがあなたの未来の「惹きつける話し方」につながります。

過去の辛い出来事、自分の中のトラウマ、大失敗、黒歴史。こういったマイナスの過去

も立派なコンテンツになります。

ターニングポイント、突破するきっかけ、そしてそれをどう乗り越えて何を学んだのかは、有益な情報になります。私でいうと20代前半で営業をクビになった辛い過去です。今まさにその問題に悩んでいる人にとっては「どうすればいいのか知りたい」「もっと聴きたい」内容だと思います。とてつもない価値になります。

ビフォアーアフターの差が大きければ大きいほど、人を惹きつける素材に変化するのです。こうして「書く練習」で惹きつける話し方のための土台を作るのです。

年齢も関係ありません。自分の人生を変えると思って、話すための書く練習をゆっくりはじめてみませんか？

④ 上級編・誰でもできる「話すための書き方」テンプレート

フォームを鍛えればアドリブも万全

初級編が少し長くなってしまったところですが、さあ、ここからは上級編です。

最初にお伝えした通り、初級と上級の大きな違いは、自分のため（For Me）か、人のためか（For You）です。初級編は「自分のためのもの」の意味が強いです。初級編はもうできるようになってきた！　と感じたら、発展として読んでみてください。

初級編で書くことに慣れてきたら、ここから紹介するテンプレートを利用してゆっくりと〝人のため〟を意識して書いていきましょう。

上級編は、朝礼でのスピーチ・お客さまとの雑談・企画のプレゼンなどで話すときのいわば「人を惹きつける話の型」です。型が身につくことにより、急に話を振られたときに対応できるようになったり、会話の中で相手との距離が近くなったり、人前でも上がらずに話せるようになります。

野球選手は試合前にキャッチボールでフォームを確認し本番に臨みます。それと同じように、話し方でも普段から型（フォーム）を繰り返し練習しておけば、いざというときや本番に活きてきます。

これは仕事に限りません。普段のさりげない会話でも、常に相手にとって有益な情報を提供する基本姿勢は、人を惹きつけるためには重要です。上級編ではその方法をお伝えします。

世界に一つしかない鉄板トークのできあがり

話すための書き方のテンプレート（上級編）は、こちらです。

【コンテンツ】→【気づき】→【自分のSTORY】→【根拠】→【展開】

初級編のテンプレートを変形させたものです。コンテンツと気づきは初級編と同じで、以下の3つが加わります。人のための情報となるように展開していきます。

【コンテンツ】日々の生活の中で自分が経験・体験した出来事すべてです。

【気づき】コンテンツを通じて、自分の中で新しく生まれた気づきです。

【自分のSTORY】主には、自分の過去の体験・経験談です。いいコンテンツにふれると、自分の過去の経験・体験談とクロスすることがあります。

【根拠】一般的に名の知れた理論、ロジックや、知識、セオリーなど。自分の体験談だけに限らない一般的な話を絡めることで、話に説得力が生まれるので足していきます。

【展開】あなたはどのように感じましたか？　相手にメリットのある情報を交えて書いてみてください。

いかがでしょうか。

上級編は、いわば加工貿易。仕入れたコンテンツや情報を自分の中にとどめるのではなく、加工して、出荷するようなイメージです。初級編に慣れていれば、実はそんなに難しくありません。

ここで、テンプレート初級編の例を上級編に発展させてみましょう。

例：スマホコントロール

【コンテンツ】先日、電車の中でスマホを見ていたとき、ふと顔をあげると富士山が見えてとても綺麗だった。

【気づき】車内に目を移すとその場にいた全員がスマホを見ていて綺麗な富士山に気づいていないのを見て、スマホに人生を支配されないようにしようと強く感じた。

【自分のSTORY】そこから最初にやったのはまず1週間、スマホとの距離を置くことにした。勉強するときもお風呂から出た後もすぐに手を伸ばせないように別の部屋にスマホを置くことにした。ベッドには絶対に持ち込まないようにした。すると集中力が増すだけでなく、睡眠時間が増えて睡眠の質も上がり体調がとてもよくなりモチベーションが湧くことに気づいた。

【根拠】スマホ中毒になると脳の大事な機能が低下するという科学的データも出ている。

【展開】スマホに人生を支配されるのではなく、しっかりとコントロールして日々の生活を充実させようと思う。1週間距離を置くのはおすすめです。スマホとの向き合い方が気になっている方はぜひやってみてください。（↓未来への提案）

この例は、初級編では「まずはスマホから1週間距離を置いてみようと思った」という自分だけの話でしたが、一段進化したのがわかるでしょうか？　上級編のテンプレートによって、スマホを手放したいけどなかなか手放せなくてまずいなと思っている人にメリットのある、もっと話を聞きたくなる情報へと変わりました。

あなたが初級編で書いた【行動】の結果、少しでもいい結果や成果が出たときには、あなただけでなく他の人にとっても価値のある情報が生まれます。上級編を通じて、これらのオリジナルの素材を人の役に立つようにブレンドし、身体にストックするのです。

誰が言っても同じ内容になってしまう話は、正直、面白みに欠けます。この上級編を通じて自分の経験談を入れることにより、世界に一つだけの魅力的なオリジナル素材になるのですね。このテンプレートに沿って書く練習を繰り返し行うと、人前で話す際の型も自然に身につきます。いきなりすべてを書こうとすることが難しいようでしたら、【根拠】は入れなくても構いません。

私が実際に研修でやっているのは、「講義のコンテンツごとに、【気づき】と【自分のSTORY】を入れて書いてもらい、決意や、やると決めたことを最後に話してもらう」プログラムです。

すると、話せなかった人の話がみるみる惹きつけられる話に変わっていって、盛り上がります。とくに【自分のSTORY】になるとメモを見ないで話す方も多いです。下を向いて聞いていた人の顔が一斉に上がるのは、なかなか壮観です。

この「話すための書き方」上級編、いかがでしょうか。コンテンツから何を学び、「自分の仕事や人生に」どう役立てていくのか？　という視点で日々を過ごすと、仕事のパフォーマンスも上がっていきます。何げない出来事を含め、自分の仕事に活かせると思ったらそれを垂れ流さず書いてストックしていきましょう。

⑤ 惹きつける話し方の基礎を固めよう

成果が出なくても焦らなくていい

ここまで、「話すための書く練習」についてお伝えしてきました。

本章の冒頭でもお伝えしましたが、「書く練習」の目的は、惹きつける話し方を身につけるための土台作りです。作文は正直、上手くならなくても大丈夫です。続ければ基礎が固まっていきます。

だからこそ、続けることが大切です。大前提として、即効性を求めると続きません。ダイエットをして体重を落としたかったとして、一日だけ、食事に気をつけて運動をしたとしても体重が落ちるはずがないのと同じです。体重を落とすには正しい食事と適切な運動を続けていくことが必須です。ダイエットが上手くいかない人は、数日やって変化がなかったら「変わらない……」と言ってやめてしまいます。それは即効性を求めているからです。それと同じように自分の変化を実感するためには、即効性を求めず一定期間続けることが何事にも必要です。

「3か月目標」を現実的にすると上手くいく

3か月を一つの中間目標にすることがおすすめです。長すぎず短すぎず、続けるためにちょうどいい期間だからです。

最初は「やるぞ！」と気合が入っているので「3か月で100記事！」など今の自分の状況と照らし合わせずに大きな数字を立てる人がかなりいます。そういう方は、だいたい数週間で目標達成の見通しが悪くなってしまい、とても到達できないと気づいて辞めてしまいます。

3か月の目標は現実的な数字にしましょう。そして目標を調整しながら、次のスパンで繰り返す。これがずっと続けるためのコツです。

たとえば1か月の短期目標をやってみて、厳しいと感じたら3か月の目標を下方修正しましょう。自分の状況に合わせて、無理のない目標数字を決め直してください。そこから逆算して1か月に○○記事、1週間に○○記事と目標を細分化していきます。たとえば、3か月で30回なら1か月10回。1週間で2〜3回というように。

100記事書いてそれが自分のストックになったら、力は相当ついているはずです。もちろん気持ちは300記事、1000記事と積み上げるくらいでいるに越したことはないですが、個人的には、ゆるくてもいいのでとにかく続けた人が最強だと感じています。

ゆるくてもとにかく書き続けるための5つのコツ

「わかった、でも、何をやっても続かない」

「いつも3日坊主で終わってしまう……」

このような方のために、この章の最後で続けるための5つのコツを紹介します。

ー匿名でもいいので仲間を作る

一人で書いていても続きません。続けるためには人と目標を共有することがとても大切です。私は何か目標達成に向かうとき、何をどうやって達成するかももちろんですが、「誰と達成するか」を大事にします。

現代はテーマを決めてチームで継続を促すアプリや行動するために背中を押すテクノロジーや気軽に匿名で参加できるオンラインコミュニティなどたくさんあります。継続習慣を作る上では三日坊主防止アプリ「みんチャレ」は手軽で効果があり絶対におすすめです。

「みんチャレ」は5人一組で共通の目標に向かって努力を継続し習慣化するための無料アプリです。アプリのルール設計上、みんなで続ける楽しみと同時に、サボって仲間に迷惑をかけてはいけないという心地よいプレッシャーを味わえます。アプリ内で〝ブログ〟と検索すると「週一ブログ発信」や「ブログでコツコツアウトプット」などたくさんの匿名で参加できるチームが出てきます。

みんチャレと同じような別のサービスでももちろん大丈夫です。一人でやるよりも、仲間を作りましょう。いますぐ「みんチャレ」をダウンロードしてみましょう。

2数字で記録をつけて見える化する

目標に近づいている過程を〝見える化〟しましょう。私が研修講師になるためのトレーニングで「書いた」ときには、3か月で60記事を目標にしました。月に20記事はかなりハードでしたが、1記事書くごとに「今何記事目」と確認できるようにしていました。

積み上げを見える化すると目標数字に近づくほど〝自分はがんばってるんだな〟と自己肯定感が上がります。手帳にシールを貼るのもいいです。書いた文字数も簡単に計測できる時代です。累計何文字書いたかを見える化し、何十万字にもなるように文字数をエクセルに記入して積み上げるのもありです。

私は、「書けば官軍」というスローガンを机に張り出してモチベーションにしていました。書きまくって、言葉を身体にストックしましょう。

3自分へのご褒美の設定

10回、30回、50回と100回までに細かく節目を作り、それぞれに見合ったご褒美を用意しましょう。「100回書いたら海外旅行！」くらいのご褒美を用意してもいいです。

100回は思った以上にすごい数字です。特別なご褒美を設定しましょう。いっそのこと、半年後の航空券を購入してしまうのもアリです。「話し方で自分の人生を変えるんだ！」くらいの覚悟も生まれます。自分で決めたご褒美があるとドーパミンが出るので、続ける力が湧きますよ。

4世の中のサービスを最大限に活用する

SNSなどのプラットフォームを活用することをおすすめします。その他にも、使えるものがあったら使い倒しましょう。実名では勇気が出ない方や筆が進まない方は、匿名でも問題ありません。

特にnoteは連続投稿記録を知らせる機能など、続けるための仕組みができあがっています。タイトルや文末にハッシュタグでキーワードを入れると、同じ興味を持った方が記事にアクセスしてくれます。書いたものが資産として積み上がりアクセスも徐々に増えていきます。アクセス数は、ネット上の出会いとご縁です。いいね！やコメントが入るとテンションもかなり上がります。

5理想の自分を言葉・イラストにする

惹きつける話し方を身につけて、どんな自分になりたいのか、なりたい自分を言葉にしてみましょう。イラストでもOKです。

私は生き生きと仕事をしているかっこいいお父さんになりたかったので、〝自分の講演を一番後ろから息子と妻が手をつないで見ている〟イラストを描きました。

これをすると、「今日は疲れたからいいか」「お酒を飲んだから明日やればいいか」「あんまり変わっている気がしないな」「飽きてきたからまぁ辞めていいか」と自分に都合のいい理屈づけをしづらくなります。ただ、最初から完璧な理想像を求めてさまよわないように気をつけてください。理想の姿に違和感を覚えたら、途中で変更しても問題ありません。やりながら徐々にはっきりしてくる「なりたい自分」の変化を楽しみましょう。

いかがですか？　「話すための書く練習」、難しそうでしょうか？

でも、最初の一歩は超シンプルです。まずは、スマホのメモアプリを開くこと。そして、ｎｏｔｅの新規アカウント登録と「みんチャレ」アプリのダウンロードからです。書いて人生を変えていきましょう！

第4章

人を惹きつける人は「相手を喜ばせる」

1 話す前に、「まず聞く」理由

「聞く力」が相手を喜ばせる

ここまで、人の心を動かすために必要な〝言葉の本質〟と、話すための書き方をお伝えしてきました。

ただ、ここで一つとても重要なことがあります。

あなたがどんなに話す能力を高めても、話すことばかりに意識を向けていてはいけません。ここまで学んだことが台無しになってしまいます。

なぜなら、話すことばかり考えている人は、人から信頼されないからです。信頼されていない人の話が、受け入れてもらえるはずがありません。

「人を惹きつける」ためには、話す前にまず「聞く」ことが大切です。

たとえば、あなたの周りにはこのような人はいませんか？

○話している途中で自分の話をかぶせてくる
○一方的に自分の言い分を押しつけてくる
○やたらと自分の成果をアピールしてくる
○求めてもいないのにアドバイスをしてくる

このような関わり方をされたとき、どのように感じるでしょうか？　おそらく、嬉しいと感じる人はあまりいないと思います。

逆に、このような人だったらどうでしょう？

○あなたの話を最後まで受けとめてから自分の話をしてくれる
○あなたの言葉を一言も逃さないよう集中して聞いているのがわかる
○まずは事情を察して汲み取ってくれる
○進んで自慢せず、いつも相手を立てている

このような人といると、自然と嬉しい気持ちが生まれますよね。

これが、「聞く力」の差です。聞くことは「私はあなたのことを理解しようとしています

よ」という合図を相手に送ることでもあります。相手からこの合図を受け取ると、ほっと安心して、嬉しい気持ちになりますよね。「聞く」とは、相手を喜ばせることなのです。

「聞く力」が高い人は、周りからの信頼を得ることができます。同じことを話しても響き方がまったく違います。仕事のパフォーマンスの高い人の共通点も、話す力ではなく「聞く力」が非常に高いということがあげられます。

ちなみに口下手や話し下手克服の秘訣も「聞く」ことです。上手く聞ける人は、自分が話す時間を減らしながら会話を弾ませることができますし、相手も好意を持ってくれます。

もし、あなたがこれまで「気持ちよく話せる!」という経験をしたことがあるなら、それは、もしかすると、相手の「聞く力」が非常に優れていたからかもしれません。それくらい、人の「聞く力」には差があります。

では、この「聞く力」とは、いったい何か。

私は、「私という存在を消す力」と呼んでいます。

いつも話しやすい人は「自分を消す」

どういうことか。「聞く力」が極端に弱い人たちは、コミュニケーションのときに、自分を主軸に置いてしまっています。「自分が話したい」で頭の中がいっぱいなので、いつも「自分が主人公」。「人の話を聞く」ことができないのです。

一方、**「聞く力」が高い人たちは、コミュニケーションの主軸を自分ではなく、相手に置くことができます。相手は、「自分が話の主人公だ」と思えるので、自然と自分の話をしやすくなるのです。**

話の主軸を自分ではなく相手に置くためには、コミュニケーションの主軸を自分ではなく、相手に立てる必要があります。いつも〝自分、自分〟で、話すことばかり考えている人、つまり「私という存在を消すことができない人」が、人から信頼も理解もされないのは当然です。

経営学の権威であるピーター・ドラッカーの言葉に「聞け、話すな」があります。あな

自分軸と相手軸

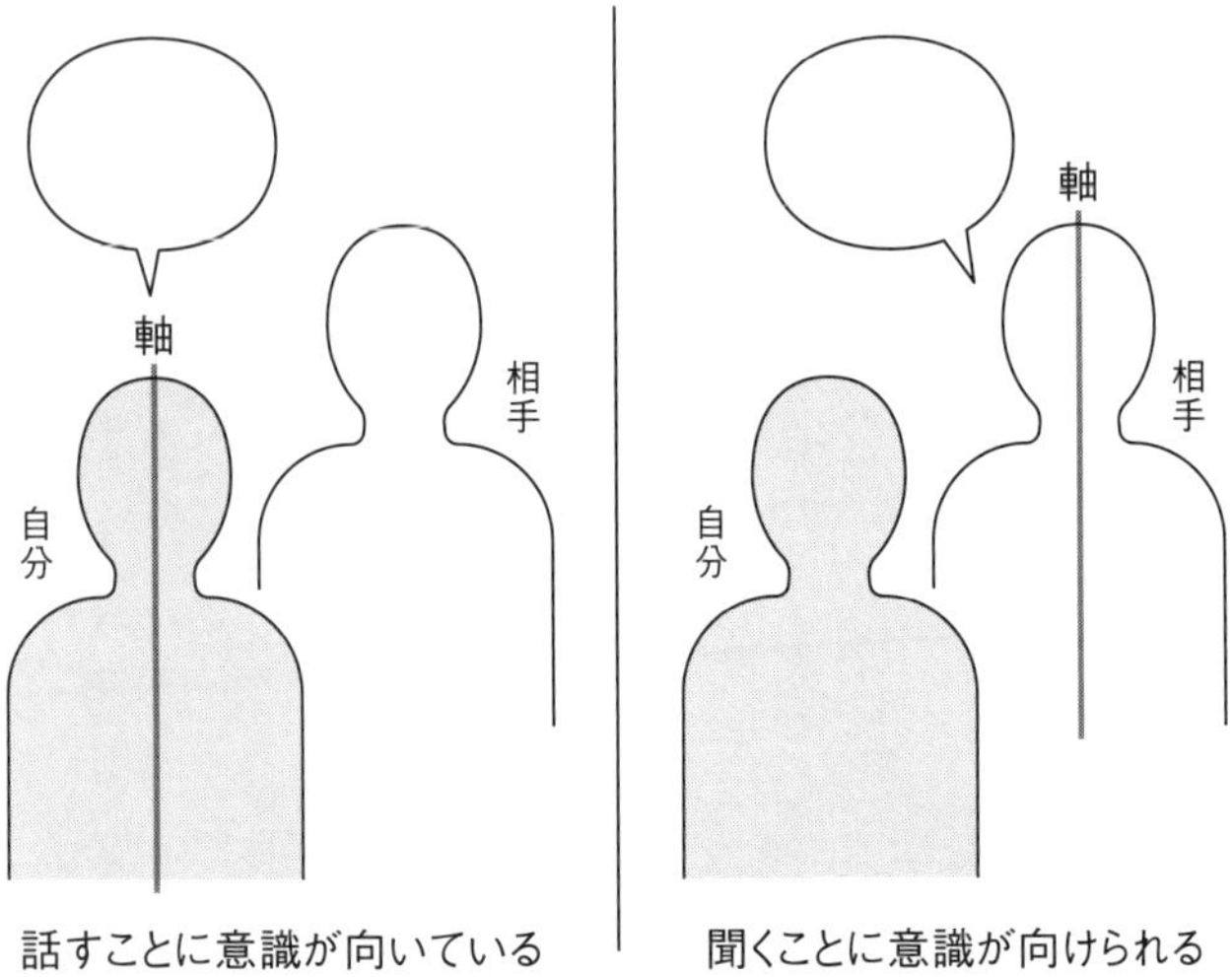

たが人を惹きつけ人から信頼されるために今すぐできること。それは「話すことに意識を向ける」考えを一度リセットして、「〝聞く〟を優先する」と決めることです。

「聞く力」はスキルです。先天的な才能ではないので、練習次第で、どんどん向上していきます。この「聞く力」を磨けば磨くほど、小さな信頼が積み上がり、あなたの話を受け入れてもらうための土台ができていきます。

②私を消して「聞く」に徹するテクニック

話す前に「聞く」基本の3か条

ここからはあなたの「聞く力」を高めるための具体的な方法を解説していきます。
話す前に大切な〝聞くための3か条〟を紹介します。

3か条

1：今に集中して「まず聞く」

話すよりも「まず聞く」意識を優先させましょう。「自分のことをわかってもらいたい」「人から信頼されたい」思いが強いと、私たちはどうしても「話す」ことに意識が向いてしまいます。相手の話を聞くことではじめて、相手もあなたの話を聞いてくれるようになります。よい聞き手になりましょう。

2：相手の話を引き出す

相手にたくさん「しゃべって」もらいましょう。聞き手として、うなずいたり、あいづちなどの反応を通じて、話しやすくなるような場を作ります。石像のような人に話すのは退屈ですよね。自分の反応の上手さ次第で、いくらでも相手から言葉を引き出せます。

3：聞いてほしいことを訊く

相手の「聞いてほしいこと」を見つけましょう。ただ単に「聞く」から「訊く」（＝興味を持って質問する）に進化させるのがこの3です。元アスリートの方が現役の選手にインタビューしているのを見ていると、「上手い！」と感動することがあります。昔同じ境遇だったからこそ、「聞いてほしい」ポイントを見事に掘り当てられるのでしょう。相手も、「そうそう！　そこを聞いてほしかった！」と、気持ちよく話せるようになります。

いかがでしょうか？　これからこの3か条を順を追って詳しく説明していきます。

STEP 1

今に集中して「まず聞く」

人はなかなか話を聞けない

あなたにお聞きします。

相手が話している最中に「メリットが感じられない」「結論はまだなのか」「面白くないなぁ」と判断して、以下のような行動をしてしまったことはありませんか？

○右から左に聞き流した

○興味がある別の情報に意識が飛んでしまった

○話の途中でわかったつもりになって、自分の話をかぶせた

おそらく、身に覚えがあるでしょう。このようなときはまさに話を聞いていません。

実は、人の話を聞くことは、自分が思った以上に難しいのです。だからこそ、まず聞く

を徹底的に意識する必要があります。
海水浴でビーチボールを海面に置いて手を離したら、ボールはすぐに自分から離れてゆらゆらとどこかに漂っていってしまいますよね。それと同じように、あなたの聞く意識もちょっと気を抜いたらすぐに自分から離れていってしまうのです。
聞くことができない理由は、実は非常にシンプル。それは、あなたの聞く意識を〝今〟にとどめることができていないからです。
では、どのようにすればよいのか。それが、以下の1、2、3です。
1今に意識を向けて集中する
2未来や過去の出来事や他の興味に意識が向いてしまったら今に戻る
3この繰り返し
以上です。「聞く力」の高い人はこれを知っているか、無意識のうちにやっています。

「次のセリフ」の準備をしていないか

「佐藤君は聞けていないよ。聞かずに、次の自分のセリフのことを考えて、準備してる。自覚はある?」。

これは私が劇団四季に入ってすぐに、ある先輩からかけられた言葉です。

私が入団一年目に子ども向けのミュージカルで、幸運にも一言セリフのある役を務めたときのことです。主役のセリフを聞いてから、「それみろ、おれたちをやっつけにきたとに間違いねぇ！」と主役を問い詰めるのが私の役目でした。

私は、無意識のうちに、今この瞬間ではなく、未来の自分のセリフに意識を向けてしまっていたことに気づきました。間違えるのを恐れて、前のセリフをきちんと聞かず、頭の中に用意した自分のセリフを、順番が来たタイミングで口に出していただけだったのです。

これと同じように、相手が話している間に自分の言いたいことが頭に浮かんだり、「自分の順番が来たらどう話そう……」という考えに支配されたり、相手の話をさえぎって、かぶせてしまうことは、本当によくあると思います。

しかし、今に意識を向けて集中することが、〝聞く〟ときには大切です。

一流の俳優は、たとえ１０００人の観衆がいようとも、目の前の相手の話を一言も聞き逃しません。

今、この瞬間に意識を集中して、相手の話を最後まで聞きます。そうすれば、自分が次に話す言葉を用意しなくても、言葉が内側から自然と出てくるのです。

ちなみに、家族やパートナーなどの近い関係であればあるほど、集中して聞くのが難しくなりがちです。だからこそ、練習台にはもってこいです。身近な人が自分の「聞く力」を高めてくれると思って、最後まで集中して聞いてみましょう。

大事なのは、話すのではなく〝聞く〟を優先させる。もし聞く意識が離れていったら、それに気づいて、〝今〟に戻す練習をしてみましょう。

STEP 2

相手の話を引き出す

意外とできていない基本動作

2つ目の「相手の話を引き出す」ポイントは3つです。

聞き方の3つのポイント

1：目を見る
2：うなずく
3：反応する

「こんなこと誰でも知っていることだよ」。こう思ったかもしれませんね。しかし、誰にでもできる基本的なこの3つのポイントができていない人が多いような気がしています。

1：目を見る

〝見る〟とは「私はあなたの話に興味を持っていますよ」という明確な合図を送ることです。

視線を合わせないと、それだけで不誠実だと感じられてしまいます。

どうしても目を見れないなら、相手の眉間の少し上を見る習慣をつけてみましょう。それでも十分です。相手からすると、目を見てくれていると感じるものです。

まずは家族など近い関係の方に練習をお願いしてみましょう。目を直接見て話してもらうパターンと眉間の少し上を見て話してもらうパターンそれぞれをお願いしてみてください。眉間の少し上を見られる方が柔らかい印象を感じると思います。

2：うなずく

うなずきながら相手の話を聞きます。このとき、形だけのうなずきにならないように注意しましょう。うなずくからには必ず理由を持つように心がけてみてください。「共感した」「興味を持った」「納得した」などなんでもOKです。

言葉も行動もこの点では似ています。嬉しくてルンルンな気持ちになったからスキップをする。最高の達成感を味わったからガッツポーズをする。動きが起こるからには必ずその理由があるという原則を忘れないようにしましょう。

うなずくと1の〝見る〟が自然にできるようになります。

3：反応する

会話の途中に声に出して反応していきましょう。「えー！」「そうなんですね」「へぇ」「ホントですか」「それから、それから？」などです。音楽のジャズで、さまざまな楽器がアドリブで呼応しあって、ハーモニーが生まれているのと同じです。反応して相手から言葉を引き出しましょう。ちなみに、複数人での会食が苦手な方は、ひたすら聞き手に回って反応していれば居心地の悪さが軽減します。

この3つをきちんとできている人は、あまりいないように見受けられます。話している立場からすると、反応がある人には自然と目が向きます。それだけで「その他大勢の受講生」から一瞬で抜け出すことができますよ。オンラインでの会話は絶好の練習と思って、ぜひこの機会に意識してみましょう。

「聞く」は形から入ってもOK

これまでの人生の中で面接などを受けたことがあると思います。面接官があなたの話にまったく反応せず、表情も変えずに、ただじーっと見つめてきたらどのような気持ちになりますか？

「うっ、話しづらい……」
「圧迫されているようで辛い……」
「早くこの場から立ち去りたい……」

きっとこのように感じると思います。

逆にその面接官があなたの話を「そうなんですね」「うん、うん」と目を見てあいづちを打って聞いてくれたらどうでしょう。話しやすいだけでなく、思った以上の力が発揮できる気がするのではないでしょうか。このように聞く姿勢は、話す相手に大きな影響を与えます。

実は、こう言っている私も「うなずく」と「反応する」はまったくできていませんでした。なぜなら、プロの演劇の世界では、大げさにリアクションをしたり、相手の話を聞いていることを表現するために「うなずく」のはご法度だったからです。たとえば、怒りを表現するために「地面を激しく踏む動作をする」、誰かを探すときに、「額に手を当てて顔をキョロキョロ動かす」などの、いわゆる「わざとらしい表現」がこれにあたります。「紋切り芝居」といって、本人は一生懸命に伝えようとしていたとしても、見ている方からしたら〝がんばっている学芸会〟に映ってしまうのです。わざとらしい感じがして、むしろやりたくありませんでした。

しかしいろいろな方から「話しにくい」「冷めている」と言われたことをきっかけに、聞く態度を変えることを決め、練習を積みました。

考え方をあらためた今はこう思います。

相手へのリアクションは言葉を引き出す行為とともに、相手への「思いやり」です。

だから、この「聞く」に関しては、最初は形から入っても構いません。「興味を持って聞く」ことさえ忘れなければOKです。〝3つのポイントを意識して聞く〟を実践してみてください。

STEP 3

聞いてほしいことを訊く

「聞かれたら嬉しいポイント」を探せ

最後は3「聞いてほしいことを訊く」です。

ここからは少しレベルが上がります。ただ単に「聞く」から「訊く」への変換です。

「訊く」とは〝興味を持って質問する〟ことです。1、2を通じて相手の話が聞けるようになると、その人の魅力や長所など、「もっと突っ込んで聞きたい」ポイントが出てきます。

以下の3つのポイントに気をつけてみましょう。

1：普通よりも「いいところ」

2：その人なりの「こだわり」

3：前後での「小さな変化」

たとえばあなたが、ある女性のお客さまの話を聞いていたとします。「すでに成人した3人の息子さん全員ととても仲がいい」という話が会話の中で出てきたとしましょう。この会話は、1「まず聞く」と2「目を見る」「うなずく」「声を出す」を実践すれば、引き出せるはずです。

このままでも十分聞けてはいるのですが、話が「そうなんですね」「素晴らしいですね」で終わってしまってはまだまだもったいないです。

人を惹きつけるために重要なのは、ここで「世の中には親子関係で悩む人がとても多いのに、すごいな」と1「いいところ」に気づけるかどうかです。そしてすかさず、「子育ての秘訣が何かあるのですか?」と2「こだわり」を聞いてみましょう。もしこの質問が見事にハマって〝それ、聞いてほしかった!〟と思ってくれたら、さらに詳しく話をしようとしてくれるはずです。その3「小さな変化」に気づければ、後は「目を見る」「うなずく」

「声を出す」です。相手は話が止まらなくなること間違いなしです。

いかがでしょうか？「難しいな……」と感じた方も多いかもしれません。

聞くのは一朝一夕でできることではありません。でも、練習をすれば誰でもできるようになります。ここからはそのトレーニングの方法を皆さんにお伝えしていきます！

自分に質問縛りを課してみよう

「それを聞いてほしかった！」相手が思わずこう言ってしまうようなポイントを当てるにはどうしたらいいと思いますか？

そのために必要なのは「いつも質問を意識して聞く姿勢」。まずは聞き手に回って会話を広げる。そして「質問できるところはないか？」と探しながら待ち続け、「ここか！」と感じたら、質問を投げかける。広げて絞って掘り起こす。まさに、広大な土地に埋まったお宝を掘り起こすイメージです。

これができるようになるには、会話の中だけでなく、日ごろから人のいいところ・こだわり・小さな変化を見つける気概とトレーニングが必要です。日常でも実践できる、その手順を紹介します。

それは、「質問縛りを自分に課す」こと。

これが一番大事です。「質問しかできない」と決めると、脳が、質問できるところを見つけるように動きはじめます。会話の中で、「いいところ」「こだわり」「小さな変化」に注目するのです。

たとえば、新人が成長して、ある仕事ができるようになったとします。

もちろんここで「先週よりも、できるようになっているね」というのもいいのですが、質問縛りにしておくと、このような言い方になります。

「先週できていなかった○○ができるようになっているけど、どんなことを意識して取り組んだの？」

新人も、「はい、じつは……」と、自分がどのように努力したのかを話してくれます。ただ褒められるよりも、喜びは倍増します。「この人は私のことを見ていてくれる」に加えて、「興味を持ってくれてるんだ……」とも思ってくれるからです。それらの積み重ねが「この人のためにがんばろう」という信頼になっていきます。

このときのポイントは大きな変化や成長ではなく、ほんの小さな変化や成長に敏感に気づくこと。ベテランからするとほんの小さなことでも、経験が浅い人からすればとても大きなことなのです。

また、高度なテクニックとして「陰質問」もおすすめです。これは相手に直接質問するのではなく、相手の上司や友人などに質問してみるという方法です。その人と仲のいい人に、「○○さんは最近すごく成長したよね。何があったか知ってる?」などのように使ってみてください。陰口ならぬ陰質問。巡りめぐって本人に届いて効果絶大です!

「聞く力」が人を惹きつける土台になる

劇団四季創業者の浅利慶太さんは、この小さな変化や努力に気づく天才でした。

「お前はサボらないから怪我しないいんだよな」

「不器用だけどコツコツやってるな」

「前回届いていなかった高音域が届くようになってるじゃないか」

この3つは劇団四季で下手くそで落ちこぼれだった私が、実際に浅利さんにかけていただいた言葉です。これは厳密にいうと質問ではないのですが、私の〝こだわり〟や〝小さな変化〟を見抜いて声をかけてくれたのです。「下手くそが生き残るには練習をサボらずにコツコツ続けるしかない」と陰で練習をしていた私は、とても嬉しくなり、やる気になったものです。「何百人とすごい人たちがいる中で、自分の努力を見ていてくれたんだ……」「この人のためにもっとがんばろう！」と決意しました。

どんな人に対しても、この方法は役に立ちます。日常に「質問縛り」を課して、質問に変える練習をしてみましょう。実験と思えば、気がとってもラクになりますよ。

実際にあった例をあげておきます。

○気遣いがすごい人がいた

○○さんって細かい気遣いがすごいと思います。普段どのような意識をされているんですか？（いいところ）↓3歩先を読むようにしている。昔社長秘書をやっていたときに習慣ができ鍛えられた。

○経営者のしているポケットチーフがとても素敵だった

ポケットチーフとても素敵です。どこのメーカーですか？（こだわり）↓「あげるよ」と言われてその場で頂いてしまいました。今でも愛用しています。

○プレゼンが先週とは別人のようだった

プレゼンが先週とは別人のようだけど、何があったの？（小さな変化）↓本人は変化に気づいていなかったようでしたが、「佐藤さんに言われると励みになります！」と目を輝かせてとても喜んでいた。

○スーパーのレジで怒鳴り散らしていた客に係のおばさんが冷静に対応していた

あれだけ攻撃的に向かってくると、普通は動揺すると思うのですが、どうしてあんなに冷静に対応できるのですか？（いいところ）↓マニュアルがしっかりあるとのことでした。

これをきっかけにスーパーのレジではいつも私に微笑んでくれます。

いかがでしょうか。

「聞く力」の練習できそうでしょうか？

「聞く」とは一言で表現すると、「私という存在を消す」こと。そして、それを通じて、相手を喜ばせることです。

「話す」ための「聞き方」をたくさん実践して、惹きつける話し方のための土台を日々積み重ねてみてください。

③ 人生を変える「オープンマインド」の意識

人見知りを直す「声をかける習慣」

ここまで「話す」ための「聞き方」を具体的にお伝えしてきましたが、ここからは「聞く」ために必要不可欠なオープンマインドの精神について説明していきます。

あなたは初対面の人ともすぐに打ち解けられるタイプでしょうか？　それとも初対面がとても苦手で、警戒してしまったり自然に振る舞えなくなるタイプですか？

もしあなたが後者のいわゆる「人見知り」でしたら、これからゆっくりとオープンマインドを身につけていく必要があります。なぜなら、そもそも自分が心を閉ざしてコミュニケーションを取ったままだと、「人を喜ばせる」のは正直難しいからです。

もちろん、形として「聞く」こと自体は、練習すれば誰にでもできるようになります。しかし、心に厚い殻を持ったままだと、人と接するときにブレーキを踏みながらアクセルを踏むような心の状態になってしまうので、無理をした状態になってしまいます。惹きつける話し方を身につけるために、少しずついいので心の殻を破っていくことが大切です。

なぜ私がこの習慣をあなたにおすすめするか。それは、筆者である私がまさに、自分の心の厚い殻に苦しめられてきたうちの一人だったからです。

知らない人が多い飲み会が大の苦手。フレンドリーな人を見ると、自分と比較して落ち込む。オープンな性格の人をいつも羨ましく思っていました。「人見知りさえなければ仕事も人間関係も人生ももっと上手くいくのに……」と一人で悩んだ末に、人生を変えたくてここで紹介することをすべて実践してきました。今でも意識してやっています。

最初は難しいと思いますが、形から入るだけでも十分に変わっていきます。ぜひ少しずつでいいので、挑戦してみてください。

まずは言葉で感謝のチップを配ろう

ここで、自分の心の殻を少しずつ破るためにできる、おすすめの習慣を紹介します。

それは、**「1日1回でいいので、まったく知らない人に声をかける」**です。

「え、そんなの無理だよ……」と思ったかもしれませんね。

でも大丈夫です。知らない人に声をかける、といっても何か特別なことをする必要はありません。まずは、自分が客としてサービスを受けたら、サービスを提供してくれた人に、丁寧に「ありがとう」を言ってみる。これくらいからはじめてみるイメージです。

もしあなたが人見知りで悩んでいるのなら、やればやるほど心の殻が薄くなってオープンマインドになってくるのがわかってくると思います。

たとえば、コンビニの店員、スーパーのレジ係、ウェイター、タクシーの運転手、病院の受付の方……などです。普段からよく接してますよね。

相手を物体ではなく、一人の人間としてしっかり意識するところからです。自分の大切な宝物を相手に渡すように、「ありがとうございます」と丁寧に言ってみてください。

そして、その目線で世の中を観察してみましょう。世の中には、相手を無意識でモノのように扱っている人はとても多いです。言葉のチップと思って「ありがとう」を伝え、相手を喜ばせる習慣をつけましょう。

「ありがとう」の他には、食事をした際に美味しいと思ったら、店員さんに「美味しかったです」と素直に伝えてみるのもいいです。最初は恥ずかしいし、照れます。でも一つ確かなのは、「美味しかったです」と伝えて嬉しそうな表情をしない店員さんはいないということです。もちろん「実感」していればよりよいですが、まずは勇気を持って伝えてみることが大事です。ここでは殻を破るという勇気の方がよっぽど大切なので、今に限っては、気にしないでください。

私は、態度が悪い店員さんに、テーブルに来るたびに「ありがとう」を繰り返し伝えていたことがあります。すると、徐々に態度が柔らかくなって最後は笑顔に変わったという経験があります。

日々〝相手を喜ばせる〟を実践してみましょう。

1日1回、プラス一言を加える

いかがでしょうか？　まずは「ありがとう」からです。

これが自然にできるようになってきたら、次のステップがあります。それは「ありがとう」に「プラス一言」を加えてみることです。

はじめはかなり恥ずかしいと思います。まれに怪訝な顔で見られたり無視されたりすることもあります。でも、やってみると意外と徐々に慣れてきます。自分の人見知りという殻を破るトレーニングと思って知らない人に話しかけてみましょう。

はじめるときのコツは、**まずは「自分が客の立場のとき」に「仕事中の人に」声をかけてみることです。**自分が買い手の立場であれば、相手にとってあなたはお客さまなので、イヤな思いをすることはほぼありません。

私は先日、病院の受付で支払いを終えた際に「ありがとうございました」に加えて、「意外と早かったです、とても助かりました」と、プラス一言を返してみました。30分待ちと言われていたのに10分ほどで診てもらえたからです。すると受付の女性は「病院の受付係」

という堅いお面を取って、仲のいい友人のような、とても素敵な笑顔を返してくれました。

ほかには、

○アパレルショップで店員さんに質問をする
○ショッピングモールでトイレの場所を店員さんに聞く
○飲食店で〝おすすめは？〟と聞く

などもとてもいいでしょう。答えをいただいた後に「ありがとう」を返してみるのもとってもおすすめです。

「1日1回でいいので、まったく知らない人に声をかける」を意図的にしてみましょう。

そうやって心の殻を少しずつ破っていくのです。

タレントのタモリさんは、「人見知りというのは相手の気持ちを誰よりも先に考えることのできる才能」といっています。多くの人がマイナスだと考えている「人見知り」という個性は、実は人を喜ばせる能力のポテンシャルを秘めているのです。

その才能を活かして、ゆっくりとオープンマインドを身につけていきましょう。

④ 一瞬で心をつかむ銀座のキャッチの「マジックエスチョン」

「話したくない人」の心を開く方法

ここまで、どのように相手の話を聞いて信頼関係をつくるか、そして自分の心の殻を破るか、を説明してきました。

ここからは応用編として、「相手の心の殻を破るカギ」をお伝えしていきます。

「お客さまになかなか心を開いてもらえない……」

「懐に入り込むにはどうしたらいいのだろう」

「すぐに顧客と仲良くなれる人はいったい何をしているのだろう」

あなたはこのように考えたことはありませんか？

相手がいわゆる話し好きや、コミュニケーションに長けた人であれば、あなたがここまで練習してきた「聞く力」と「オープンマインド」でも十分です。ただ、相手によっては、「口下手だからあまりしゃべりたくない」「人と話すのにあまり時間をかけたくない」人もいます。このような一筋縄ではいかないシーンで必要なのが、相手の心の殻を破って距離をグッと近づける「話の切り込み方」です。

ビジネスであれば、関係が浅いお客さまとの距離を縮めることは、結果を出すための最初の関門でもあります。多くの方が「どうやったらPRできるか？」「どうやったら売れるか？」を優先して話そうとしてしまいますが、ここでも「相手を喜ばせる」のが大事です。

人から本当に嬉しいことをされたときに、心から不快になる人はほとんどいません。まだ関係がそこまでできあがっていなくても、これは同じです。「どうやったら喜んでもらえるか」を考えて、それに沿った言葉をかけられるかどうか。これが、相手を惹きつけ、心を開いてもらえるかどうかのポイントなのです。

ここで私がおすすめしているのが「相手を喜ばせる質問で切り込む」です。

人は「気づいてくれる」と嬉しくなる

私が話の切り込み方を学んだのは、銀座のいわゆるキャッチの仕事からです。

私は27歳のころ、昼の仕事だけでは生活ができなかったので、銀座の夜の世界で店員として働いていました。

店にお客さまがいない時間帯は店の外に出て、お店に客を連れてくる仕事、いわゆる〝キャッチ〟をしていました。キャッチは難しくて厳しい仕事です。ティッシュ配りが「この世にいない」空気のような存在だとすれば、キャッチは単純に「怪しい」存在です。初対面の相手に、その場で信頼してもらわないと成果が出ません。

ただ結果として、この仕事が、私の人生における誇りと自信につながりました。街ゆく人に来店いただくことが増え、銀座8丁目交差点付近でウワサになるほどになり、最終的には他店の経営者から「うちにこない?」とスカウトまでされたのです。

このときにしていたのが**「相手を喜ばせる質問で切り込む」こと。**そのためにできることをいつも考えて、口に出していたことです。

他の店のキャッチの人は「10％オフ」のチラシを手にして、街ゆく人に見せながらその場に立って「いかがですか？」「飲みにいきませんか？」と声をかけているだけでした。これは自分の利を先に考えた自分都合の切り込み方です。

それではまったく成果が出ないと考えた私は、ひたすらこのように繰り返していました。

「お仕事お疲れ様でした！」「今日はひょっとして達成祝いですか？」

他にも、街ゆく人の信号待ちの会話を聞いて「ひょっとして○○からいらしたんですか？」などと話のきっかけにしたりもしていました。地方から出張中で、銀座で飲める店を探している人もかなりいたのです。よく通る人がいたら、顔を覚えて「あ、今日も遅くまでお疲れ様でした」と声をかけるようにもしました。身につけているものにもサインはないか探したりもしていました。時計や靴やカバンやアクセサリーなどは、相手が気づいてほしいサインの宝庫です。

人は、気づいてくれたことに対して、嬉しい気持ちが湧きやすい生き物です。このように明るく、相手が嬉しくなるような声かけを考えて、ひたすら続けていたら、だんだんと初対面でも成果が上がりはじめるようになったのです。

ビジネスでも同じです。アポイントに向かう前には、相手が喜びそうな情報を仕入れておいたり、その場でチェックする習慣をつけましょう。ホームページやSNS、本棚の書籍など相手が喜びそうな情報を仕入れておいて、その場でもチェックする。得たサインをもとに「どうやったら喜んでもらえるか」を考えて、ピンポイントで切り込むのです。もし自分と共通点などがあれば、一気に距離が縮まりますよ。

「褒められたい」気持ちを突く

仕事柄、「初対面の人とその場ですぐに信頼関係を築く方法はありませんか?」と聞かれることがあります。

初対面ですぐに信頼関係を築くことは非常に難易度が高いことです。でも業種によっては、ファーストコンタクトで一気に関係性を築かなければいけないことがありますよね。

このような場合は、**相手に喜んでもらうために「人間が持つ基本的な欲求を質問にしてしまう」ことが、有効です。**

基本的な欲求とは、「愛されたい」「尊敬されたい」「褒められたい」「認められたい」といった人間なら誰もが持つ本能です。他者から心を満たしてほしいという欲求を、そのまま満たしてくれる人に対して不快に思う人はいません。ただ、テクニックが必要です。

このことに気づいたのも、私の銀座のキャッチ時代の貴重な経験からです。

人は皆「言われたいこと」がある

心の殻を破って街ゆく男性ビジネスマンに声をかけ続けながら大きな成果を出した私は、経営スタッフからも高い評価を得ました。1日で私の月給の3倍を売り上げたときもあったのです。

ここで、さらに難易度の高い仕事が私に与えられます。それは、「女性キャストのスカウト」です。

もともと内向的な私にとって、これが地獄のような業務でした。街ゆく若い女性に声をかけ、お店のキャストになってもらうための声かけをするのです。

難度がはるかに違いました。ティッシュ配りが「この世にいない空気」のような存在、キャッチが「怪しい存在」なら、女性キャストのスカウトは「存在自体が害虫」なのです。避けられ逃げられ、精神的ダメージも積もっていきます。しばらく、あまりに辛くて泣きそうになりながら、街ゆく女性に声をかけていました。そのときに編み出したテクニックこそが「人間が持つ基本的な欲求を質問にしてしまう」なのです。

きっかけは、休日にテレビを見ていたとき。タレントの久本雅美さんが話していたエピソードです。久本さんがある日、タクシーの運転手から「あれ、お姉さん、今日は成人式じゃないの？」と言われたという話でした。相当嬉しかったようで、少女のように目をキラキラさせていました。

「女性はいつまでも若く見られたいのだなぁ」と思った瞬間、ピンときました。「これを女性キャストのスカウトの業務で使えないだろうか」と。「愛されたい」「尊敬されたい」「褒められたい」「認められたい」。人は、こういった欲求が満たされたとき、心を開いてくれる可能性が高いことに気づきました。

「言われたら嬉しいこと」で切り込む

そこで「若く見られたい」という欲求を満たすような、言われて嬉しいマジッククエスチョンはないかと考えました。たどりついた答えがこちらです。

「学生さんですか？」

ぱっと見て「学生ではなさそうだ」と思ったとしても（申し訳ないのですが）使っていました。「こんにちは。学生さんですか？」「今日は学校休みなんですか？」と質問すると、かなりの確率で嬉しそうな反応をしてくれるのです。「若く見てもらえた」ことをきっかけに、相手にとって私の存在が変わりました。徐々に無視される確率が下がり、話を聞いてくれる確率が上がっていきました。

欲求が満たされる質問は、相手によって変える必要があります。

○姿勢がいい人には「姿勢が素晴らしいですね、ダンスなどされているのですか？」
○声が素敵な人には「素敵な声ですね、歌などされているのですか？」
○平日昼に買い物をされている男性には「企業の経営者さまですか？　このお店にはよく

経営者さまが来られるんです」。

ファーストコンタクトで一気に信頼関係を築く必要があるお仕事はもちろんですが、どんなお仕事でもお客さまを喜ばせる・心を開くマジッククエスチョンはあります。

ぜひ「これだ！」というマジッククエスチョンを探してみてください。

相手の気持ちを急速冷凍する「アドバイス」

ここまで「聞く」を学んだあなたに、一つだけどうしても気をつけてほしいことがあります。

それは「アドバイス」。アドバイスは相手の気持ちを急速に冷凍してしまう可能性があります。「聞く」を意識すると、よくしてしまいがちなので、要注意です。

愛用する参考書で勉強しているときに、「そんなのよりこっちの参考書を使ったほうがいいよ」

問題が後もう少しで解けそうなときに、「それは、こうやったら簡単に解けるよ」「お酒を飲まないなんて人生半分損してる、飲んだほうがいいよ」、このようなアドバイスをもらっても、いい気持ちはしませんよね。求めてもいないなら、なおさらです。アドバイスは相手のやる気を下げてしまうだけでなく、相手を傷つけてしまう可能性もあります。

ほとんどの人がよかれと思ってやっているので、相手にマイナスの感情を生み出していることに気づいていません。これは完全にNGです。

「人を惹きつける」には、「話す」よりもまず「聞く」姿勢が大切と、ここまでお伝えしてきました。ここでもまったく同じで、必要なのはアドバイスではなく「まず聞いて」信頼関係を築くことです。

アドバイスは、信頼関係ができてはじめてできるものであり、求められてはじめて言えるものです。「〇〇したほうがいいよ」と、もし口から出てしまったときは、人を惹きつける話し方を身につけるためにこのことを必ず思い出してください。

第5章

人を惹きつける人は「イメージさせる」

①相手の「頭の中」がすべてを変える

まず相手にイメージさせることを意識する

いきなりですが、次のような状況を想像してみてください。

あなたのプレゼンを、聴衆が前のめりになって聞いている。

商談では、自分が思った以上に良い方向へ話が進んでいく。

あなたの話を聞いた相手が、「もっと聞きたい」「もっと知りたい」「やってみたい」と興味津々になっている。

仕事の成果に大きく影響する重要な場面で、このようになったら嬉しいですよね。そのために欠かせないことは、何でしょうか？

立派な資料を用意すること？
巧みな話術を身につけること？

いいえ、違います。

最も大切なのは、まずは相手に同じ土俵に立ってもらうことです。そもそも同じ土俵に立って話を聞いてもらえなかったら、どんなにがんばって説明しても、ひとり相撲になって結果に結びつかないからです。

イメージによって相手の心が動き始める

では、同じ土俵に立ってもらうためには、どうしたらいいのでしょうか。
その答えは、「イメージしてもらう」ことです。
人は自らイメージすることによって、はじめて心が動き、あなたの話が自分ごととなって内容に興味が湧くきっかけになるのです。

イメージが人の心を動かすということを理解するために、実験をしてみましょう。

次の文章を、頭の中で内容を想像しながら丁寧に読んでみてください。


真っ黄色の新鮮なレモンが、白いまな板の上に置いてあります。触ると、表面がややざらざらしています。あなたは切れ味鋭いナイフを利き腕にもち、そのレモンを半分にサクッと切りました。

レモンが切れた瞬間に、香りがふわっと漂います。さらにカットして、レモンは四分の一サイズになりました。

カットしたそのレモンを親指と人差し指で挟んで持ち香りを嗅ぎました。レモンのいい香りがします。そして香りを嗅いだレモンを、指で絞りながら溢れ出る果汁とともに口に含みすすりました……。


いかがですか？　想像できましたか？　このシーンを想像したことにより、口の中は文章を読む前と比べて唾液で少し潤ったのではないでしょうか。

それはあなたの心が、自らのイメージにより動いたからです。

このように、頭の中でイメージを広げることと、人の心の動きには関係性があります。

人を惹きつける話し方も、これと同じです。

あなたの話を聞く相手が、自らイメージすることにより心を動かし、行動するきっかけになるのです。

一方的に説明するか、イメージさせるか

結果を出しているビジネスパーソンと、結果が出ない人の話し方で明らかに違うのは、〝説明しているか〟〝イメージさせているか〟という点です。

ただ説明しているだけのビジネスパーソンは、なかなか結果を出すことができません。

逆に、相手の頭の中にイメージを膨らませるような関わり方ができる人は、間違いなく高いパフォーマンスを出しています。

しかし、つい自分のサービスのPRや自分を売ることを第一に考えて、他にない特徴やコンセプトなどを一方的に説明してしまう人が少なくないのです。

私自身、営業の提案を受ける機会がありますが、多くの方が自社の商品の素晴らしさや機能を説明していきます。それどころか、そのサービスを一方的に説明されて「どうですか？　すごいですよね！」というように、対面でノーと言えない雰囲気を作られて、その場で買うことになってしまったこともあります。

そうではなく、「その商品を購入後にどんな自分になっているのか？」「どのようなことを実現できるのか？」「悩みが解決された自分はどうなっているのか？」、**話の内容を通じて成し得る世界観をイメージさせて、相手が気づいていない新しい感情を味わってもらう。**つまり、まずは同じ土俵に立ってもらうのです。説明することよりも優先順位を高くする必要があります。

対面でも、人前で話すのも同じです。人を惹きつける人の話は、聞いているだけで自分の頭にイメージが広がりワクワクし「私もやってみよう」と思うものです。

人を惹きつけ、結果を出すために今すぐできることは、「自分はただ一方的に説明していないか?」と気づくことです。

絵の先生は、生徒のキャンバスに手を入れない

ここまで、イメージさせることが大切という事をお伝えしてきました。

ここからは、どのように話せばいいのかを考える上でヒントとなるお手本を紹介します。

そのお手本とは「絵画教室の先生」です。


あなたがその絵画教室の生徒であったとします。目の前には真っ白のキャンバス、テーブルの上には美しい花が置いてあります。これから筆を取って絵を描く準備も整いました。

自由にありありと描こうとしたそのときです。

先生が「こうやって描くんだよ」といって、あなたのキャンバスに一方的に絵の具で自分の筆を入れてきました。

あなたはどう思いますか? きっと固まってしまいますよね……。

私は20代のころ、美術モデルのアルバイトをしたことがあるのですが、絵画教室の先生は生徒の後ろを頷きながら歩き、自由に絵を描かせていました。間違っても、生徒のキャンバスに自らの筆を入れないのです。

人を惹きつけるためには、絵画教室の先生と同じように、あなたは相手の頭の中の白いキャンバスに、さまざまな色で未来のプラスのイメージを描いてもらう必要があります。あなたはその支援をするのです。

筆を入れてしまう先生であるのか、生徒に描かせる先生であるのかが、「一方的に話すか、それともイメージさせるか」の違いです。つまりあなたは描かせる先生のようにならなければいけません。

私は研修で講師をしていますが、冒頭からただ一方的に講義をするのではなく、導入で「受講後にどんな自分になっていたいのか」を考えてもらい、参加者同士で共有するワークをします。このような導入は、受講生を〝研修という土俵〟に一気に上げるうえで非常に効果的なのです。

イメージ力には個人差がある

相手の頭の中にイメージさせる上で注意する点があります。人のイメージ力には個人差があるということです。

先ほど、レモンを想像してみてくださいという例をお伝えしました。レモンの香りやイメージといっても、頭の中ですぐに想像できる人もいれば、まったくできない人もいるのです。

絵画教室の生徒だとしたら、絵を描く技術レベルはそれぞれまったく違うということです。先生はそれをあらかじめ理解しておく必要があります。

全員が同じレベルで、話の内容をイメージできると思ったらそれは間違いで、あなたがどんなに素晴らしくイメージさせるように伝えても結果が出ないときもあります。そのようなときは、相手自身のイメージする力が弱い可能性があると考えましょう。

私自身も研修などで100人中100人すべての方を土俵に乗せられるわけではありま

せん。しかしイメージしてもらわなかったら、同じ土俵にも立ってもらえません。

一方的に説明するのではなく、イメージさせるという基本姿勢を心がけましょう。基本姿勢が変わると、あなたの言動は変わります。ぜひ絵画教室の先生のような関わりを、これから意識してみてください。

人を惹きつけるヒントは「相手の頭の中」にある

「佐藤さんが気づいていない新しい魅力を引き出しますよ。どんな自分になりたいですか？」

この言葉は私が20代のときに、ある美容師の方が私に最初にかけてくれた忘れられない言葉です。フリーターとしてお先真っ暗の中、しょぼくれて下を向いていた私の頭の中に、明るい自己イメージがもたらされた瞬間でした。

「いつも明るくイキイキしている自分になりたい」

そう気付かされた私は、この美容室に通い続けました。その方に髪を切ってもらうたびに、イメージする自分に近づいていくかのようでした。

「最初にいらしたときとは、歩き方も違いますね、今は顔を上げて弾むように歩いていますよ」

数か月後には、このように言われるようにもなりました。

よく、美容室などで最初に話しかけられる「今日はどんな髪型になさいますか？」というひと言とは、感情面で違いを感じませんか？

このエピソードは、美容室だけに限られた話ではありません。髪を切る技術によって、私の頭の中を「なりたい自分の未来のイメージ」で満たそうとしてくれた美容師さんのように、あなたも相手の頭の中のイメージを広げるように人と関わる必要があります。

しかし実際は、相手の頭の中のイメージを広げるどころか、自分の欲求を満たすように話す人が少なくないのです。ここで典型的な悪い3つのタイプを紹介します。

ー「どう？　すごいでしょ」とPRに終始している

特徴や機能、効能など、とにかく自らのPRポイントを伝えることが人を動かすことだと思っているタイプの人です。動画や資料を使って「どう？　すごいでしょ」と相手にアピールする人もいます。

しかし、動画や資料は杖のようなものです。動画や資料はあくまでも補助として、まずはあなたが主となって、相手の未来のイメージを広げるように関わらなくてはいけません。

2感情やテンションで人を動かそうとする

人は話を聞いているときに、自分の頭の中でイメージを広げようとしています。そのときに伝えようとしている本人が感情やテンションで関わると、相手が自らイメージしようとしている領域に土足で踏み込んでしまうのです。

私は浅利慶太さんから、「感動は与えるものではなくお客様の中で創造されるもの。伝える側は情景をイメージさせるように語れ！　自我を優先させ、ずかずかと観客がイメージする領域に足を踏み込むな」と繰り返し教わりました。

自分が「伝わった」と思ったのに空振りするのは、相手にイメージさせていないからなのです。

3期待値を自ら上げている

「相手は自分の商品やサービスにおそらく興味を持っている、脈がある！」と期待値をどんどん自分で上げてしまうタイプの人です。

自分の頭の中の期待という風船をどんどん膨らませてしまいます。風船を膨らませるのは自分ではなく相手の頭の中です。

実際には、相手は自分が思っているほど、あなたのサービスに対して知識もないし興味もありません。仮に興味があったとしても自分が思っているよりも、そのレベルは確実に低いのです。その差を埋め土俵に立ってもらうために、まずはイメージさせるのです。

これら3つのタイプの特徴は全て意識が「自分の頭の中」にあります。

自分の頭の中をPRするだけに終始するのはやめましょう。感情やテンションを使って、相手がイメージする領域に土足で踏み込まないように気をつけることも大切です。期待という、自らの風船を膨らませるのも得策ではありません。

「イメージさせることの大切さはわかった。でも実際にどうやったらいいのだろう？」

ここからはいよいよ、「イメージさせる」を身につけるためのポイントを２つ紹介します。

ポイントは、①質問してイメージさせる、②情景をありありと語る、です。

相手のイメージを上手に誘導する質問

イメージさせるための最初の方法は「相手に質問する」ことです。なぜならば、質問は相手の頭の回転スイッチを入れることができるからです。

ではここで、質問が頭の回転スイッチを入れることを体感していただきます。次の質問に答えてみて下さい。読み流すのではなく本からいったん目線を外して質問に答え、しばらく考えても答えが思い浮かばなかったら再び本に戻ってきてください。

質問でイメージを引き出す

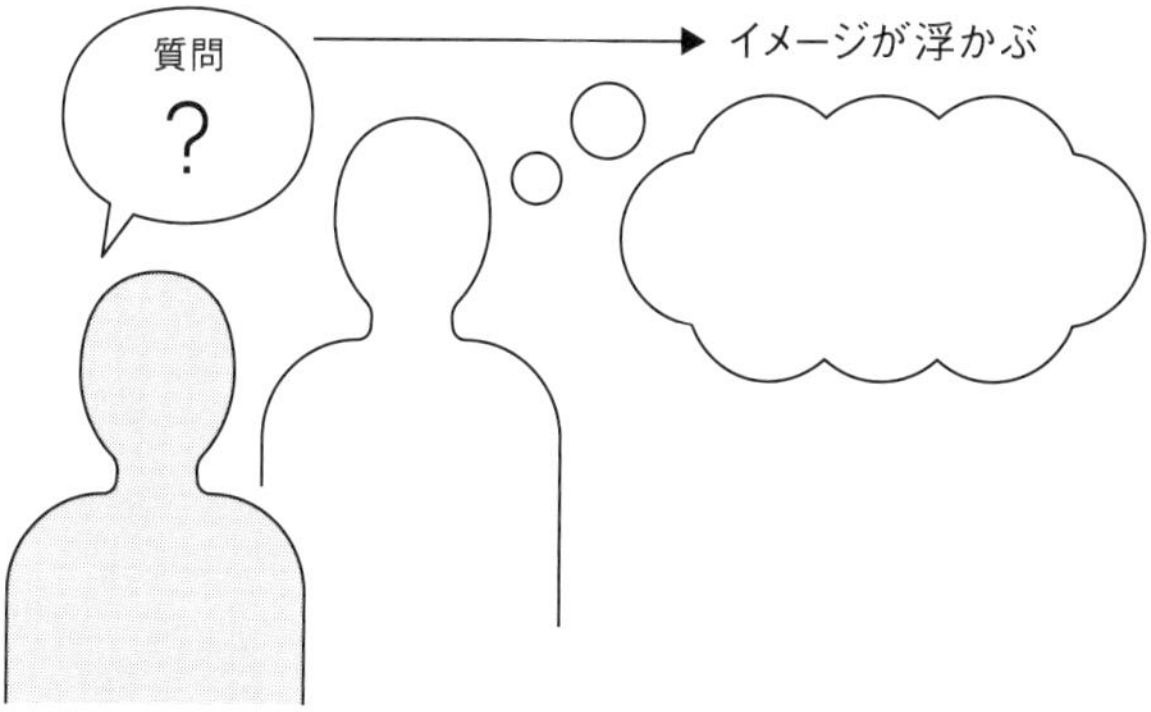

「それは誰からの言葉ですか?」
「そのとき、あなたはどういう状況でしたか?」
「なぜ嬉しかったのですか?」

では質問します。

「いままで生きてきた中で、人から言われて一番嬉しかった言葉は何ですか?」

○　○　○

いかがですか？　質問により頭の回転がはじまったのを感じましたか？

では続けて質問します。

「それは誰に言われた言葉ですか？　なぜ嬉しかったのですか？」

もう一度そのときにタイムスリップしたと思って思い出してみてください。

○　○　○

一回目と二回目の質問により、その言葉をかけてくれた人の顔や過去の情景などありありと頭に浮かび上がってきたのではないでしょうか。この質問で当時の気持ちを思い出し、中には泣いてしまう方もいます。

これが質問の力です。質問が頭の回転スイッチを入れ、イメージを誘導することができるのです。

私は飛び込み営業時代に、現場で質問の引き出しをいくつも用意し、実践しながらブラッシュアップし成果をあげました。

商品の性能や機能を説明するだけではありません。「行動を決意することでどんなことが実現できるのか?」「どんな自分になっているのか?」その未来の世界を相手がイメージできるような質問を磨き実践するのです。

その将来像を実現するための差を埋めるために、自分の技術や知識を通してサポートする存在であることをしっかりと伝えるのです。機能や性能の説明はその後です。髪を切るというサービスと技術によって「いつも明るくイキイキしている自分になりたい。」という私の願いを引き出し叶えてくれた美容師さんのように、です。

ここで質問づくりのための4つのヒントをお伝えします。業種や業界によって質問は変わりますが、これらをきっかけに考えてみてください。

①プラスの未来を想像してもらう質問
②避けられる痛みを想像してもらう質問
③まだ知らなかったメリットを得られた未来の質問
④まだ知らなかった痛みを想像してもらう質問

①から④をヒントに、自分の仕事や状況にあった質問を作り、実践してブラッシュアップさせていきましょう。この質問の質が上がれば上がるほど、相手は自然とその質問に答えるために考えを巡らせ、本人が本当に持っている願望やまだ自分でも気づいていなかっ

た未来の姿に気づいて行動を促すことができるようになるのです。

結婚式の司会を2回連続キャンセルされたときに学んだこと

180ページで、相手にイメージさせるには質問がきっかけになるとお伝えしました。

2つ目の方法は「自らの言葉で、情景をありありと語ること」です。

自分の頭の中にある情景をありありと語ることの大切さに気づいたのは、私の失敗の経験からです。

私は結婚式の司会業をしていたことがあります。

結婚式の司会業は責任重大な仕事で、特に新郎新婦との打ち合わせの初日は、本当にプレッシャーでした。

あるとき、打ち合わせ後に2回続けて「あの司会者には任せられない」とキャンセルの連絡を受けたことがありました。非常にショックでした。会社からも信頼をかなり失っているのがわかりました。実際にそのうちのひとつの運営会場からは2度と依頼が来なくなってしまったのです。

大いに悩み、何が原因なのか考え抜きました。

そこで気づいたのが、私がイメージしていることが相手に十分に伝わっていないのではないか？ということでした。そして次から、打ち合わせをこのように変えました。

「イメージしてみて頂けますか？」必ずこの言葉を新郎新婦に最初に伝え、本番の情景を臨場感あふれるように語ったのです。

私は頭の中にある情景を思い浮かべ、それをありありと言葉でお伝えしました。

「オープニングのドアが開きます。このとき、スポットライトが当たり、ゲストの方々がお二人に大きな拍手をしてくれます。私が〝ご一礼ください〟の合図をします。その際に皆さまに感謝の気持ちを込めてゆっくりと一礼してください。そこから温かい拍手に包まれながら高砂に向けてゆっくりと進みます。ゲストテーブルの近くを通ると、ゲストの皆さんは笑顔でおふたりに〝おめでとう〟と掛け声もくださっています……。」

このように伝えると、ほとんどの新郎新婦が安心した表情になりました。〝この人に任せて大丈夫だ〟と思ってくれたのがわかり、そこから一度もはずさなかったのです。

これは結婚式の司会業だけの話ではありません。打ち合わせや商談などで、あなたが自らの言葉でサービス購入後に味わえる情景をありありと語ることが、お客さまを安心させるためにもとても大切なことなのです。

②自由自在に言葉を紡ぎイメージさせる4つの練習

結婚式の司会業は、私の話す力・伝える力を飛躍的に上昇させました。司会業はフリートークがベースで、臨機応変な対応やアドリブなどが重要で、それができるようになるために独自の練習をしたのです。

そのときに実践したのがイメージさせる話し方の「4つの練習方法」です。

練習方法1は「見たものをそのまま言葉にする」です。この練習はあなたのイメージしたことを言葉に変換する基礎力をつけることが目的です。

練習方法2は「起きていることの背景を言葉にする」です。この練習は、あなたのイメージを言葉にして相手に共感してもらうことが目的です。

練習方法3は「行ってみたいと言わせるのを目的にして話す」です。ここではあなたのイメージから相手に何かしらの行動を促すための練習をします。

練習方法4は「敢えて黙って会話に空白を作る」です。この練習は、相手が自らイメージを広げるための支援をすることが目的です。

練習1から3に関しては順を追って実践してみてください。「少し難しいな……」と感じたら、練習1だけでも構いません。決して無理せず焦らずじっくり1を練習してみて、さらなる成長を目指す方は練習2、3と進んで行けるように取り組んでみましょう。練習4に関しては単独で実践してみても構いません。

イメージさせる話し方の練習方法1
「見たものをそのまま言葉にする」

この練習は、目に入ってきた情景を自らの言葉でありありと語り、聞いている人がそれを見ているかのようにイメージさせるためのものです。

これができるようになると、相手にイメージさせる力が身につくだけでなく、あなたの内側から言葉が自然にあふれでるようになります。

方法はシンプルです。目に入ったその情景が、どのような状態であるかをその場で表現してみるだけです。

「どこで→誰が（なにが）→どうしている」

この簡単なガイドを頼りに、その場で言葉を紡いでみましょう。

例えば、いま私は電車の座席に座っています。顔を上げて目に入ってきた光景を言葉にすると

「電車の中で、お父さんとお母さん、男の子と女の子との家族四人が、座席に座っている」

という具合になります。

まずはこのレベルで自分の目に入った情景をたよりに、言葉にしてみましょう。考えるだけではなく実際に声に出してみてください。これが自分のイメージを言葉に変換する基礎訓練にとても良いのです。

ただ、これだけでは聞いている人がなかなか情景をイメージできません。そこで次に「一枚の写真を他人の頭の中にプレゼントする」意識を持ちながら実践してみます。

そのためには、状態や様子、性質などが、どのようであるかを表す言葉を加える必要があります。「〇〇のような」といった比喩表現を使ったり、会話や動きや反応などを入れるとより情景が具体的になります。

「電車の中で、お父さんとお母さん、男の子と女の子との家族四人が、座席に座っている。お父さんは少し疲れた様子。男の子と女の子は小学生くらいで、窓の外を見てはしゃいでいる。お母さんは子ども二人を微笑みながらそっと見守っている」

このようにもう少し、具体的に言葉にしてみるのです。

イメージとしては、3歳くらいの言葉を覚えたての幼児に対して、情景を伝えるような意識を持ちましょう。結果的に説明がゆっくりと丁寧になるので、言葉にしやすくなります。繰り返しますが、考えるのではなく実際に声に出してみてください。

最初はなかなか言葉が出てこなかったり、適切な言葉が思い浮かばなかったりすると思います。それでも、日々の生活の中に取り込んで習慣にすると、見た情景を段々と言葉にできるようになります。楽しみながら実践してみて下さい。

次に、過去に自分が体験した印象的な出来事の情景を思い起こし、頭の中でそれを素材にして聞いている人が見ているかのようにイメージさせる練習にも挑戦してみましょう。

例えば、私が飛び込み営業時代にこんにゃくの生産現場に見学に行ったときの印象的な出来事でしたら、

「こんにゃく畑で、年配の夫婦が、こんにゃくの生産工程を解説している。真面目に話しているがどことなく天然で面白いご主人。ご主人の天然ボケに「ちょっとアンタ！」と即ツッコミを入れている奥さん。夫婦漫才のような仲睦まじい夫婦。①
現場ではこんにゃく芋を機械でこねている。その際、風味がでるよう特殊な手法で芋を棒で叩いている。②
できあがった本格的なこんにゃくと、普段食べている市販のこんにゃくを食べ比べてみる。すると風味の違いに驚かされる。③

ここでは3つのシーンの情景に分かれていますが、3枚の情景を紙芝居のように頭に順番に思い浮かべ、それを頼りにして言葉にしてみます。

この練習1を続ければ、相手にイメージさせる力が身につくだけでなく、あなたの内側から言葉が自然にあふれでるようになります。

ゆっくりとしたスピードでも問題ありません。まずは見たものを「どこで↓誰が（何が）↓どうしている」という簡単なガイドに沿ってそのまま言葉にする練習から始めてみて下さい。

頭の中の情景を〝発想〟のきっかけにし、それを言葉にする練習をすれば、プレゼンやスピーチだけでなく雑談など様々なビジネスシーンで活用することもできます。

イメージさせる話し方の練習方法2
「起きていることの背景を言葉にする」

人の話を聞きながらメモをしているときに、ふと顔を上げて聞き入ってしまったような経験はありませんか？

聞いているだけで、頭に情景が浮かびあがり、その話に惹き込まれる……。

私は人前で話す仕事をしていますが、聞き手が一同に顔をあげ、私の言葉に聞き入って共感しているように感じられる瞬間があります。

それは、私が物語を話し始めたときです。

話し方で人を惹きつけるためには、物語をありありと語れるようになることが必要です。

ストーリー・テリングということもあります。

ストーリー・テリングができるようになるための基礎練習が、ここからお伝えする「起きていることの背景を言葉にする」方法です。ストーリー・テリングは、面接でも商談でもプレゼンでもさまざまな場面で応用することができます。

ただ物語を語るだけではなく、それを自分が最も伝えたいメインメッセージに紐づけられるかが人を惹きつけるうえでの大きなポイントです。

例えば、練習方法1で紹介した、電車で出会った4人家族の日常の光景で考えてみましょう。あなたが、「たまには親に直接電話してみよう」というメインメッセージを人に伝えたいとします。4人家族の光景を素材として考えてみましょう。

練習1であなたが目に入った情景を言葉にできるようになったとして、そこに「起きていることの背景」を自分なりに想像し、解釈や気づきを加えてみます。

起きていることの背景を加えるポイントは

○行動の理由を想像する
○その人がここに至るまでの経緯を想像してみる
○その人の未来の行動を想像してみる
○その人の生い立ちを想像してみる
○自分の過去の思い出や経験を加える
○その人の持っていそうな価値観を想像する　　　　などです。

このポイントを参考に、
「これからきっとこの先のテーマパークに遊びに行くのだろう」
「お父さんは仕事が忙しいのに違いない」
と自分なりに想像したとすると、

「電車の中で、お父さんとお母さん、男の子と女の子との家族四人が、座席に座っている。お父さんは少し疲れた様子。男の子と女の子は小学生くらいで窓の外を見てはしゃいでいる。お母さんは子ども二人を微笑みながらそっと見守っている。これからきっとこの先のテーマパークに遊びに行くのだろう。お父さんは仕事が忙しいのに違いない」という具合になります。

これだけで簡単な物語になりますね。ここまでも言葉にする良い練習になるのですが、さらに自分の考えや気づきを加えて発展させると、

「自分も子供のころ、親にあのテーマパークに連れてってもらったな」
「あのころ、親父も仕事が相当大変そうだったな」
「そういえばここのところまったく親に連絡していない」

「たまには親に直接電話してみよう」

電車の光景が「たまには親に直接電話してみよう」という最終的に伝えたいメインメッセージの素材となり、聞き手にとってイメージしやすくわかりやすい話となります。

難しいのではないか？　と思ったかもしれませんね。しかしあなたが「話すための書く練習」で経験から気づきと行動を言葉にするトレーニングを繰り返していればこれができるようになっています。

「話すための書く練習」は、実はイメージさせる話し方と密接につながっているのです。「経験や出来事」を練習1と2を通してイメージしやすい物語にし、頭の中の画像や情景をもとに実際に話して、「気づき」や「行動」で作り出したメインメッセージに紐づけて人に話してみるのです。

これが物語からメインメッセージという型を身につけるうえで、とてもよい基礎練習になります。自分が経験した出来事を、聞いている人がイメージできる物語として語れるようになると、下を向いていた人が本当に顔を上げるようになります。それが相手にとって有益な情報であれば「この人の話をもっと聞きたい！」となります。

プレゼンだけでなく商談でも同じです。練習1のこんにゃくの生産者を例にしてみましょう。

「市販の商品との風味の違いをぜひ味わって食べてみてもらいたい」というメインメッセージがあるとします。「夫婦の言葉の奥からこんにゃく愛があふれでるようだった」「食べ比べた後はあまりの風味の違いに感動して言葉が出ないようだった」など、起きたことの背景を自分なりに想像して生産現場の情景を物語として紐づけることができると、聞き手がイメージを広げて「食べてみたい」という購買意欲につながります。

第2章で話すために書いた、様々な経験の中で「これだ！」というインパクトのある物語ができたら、それに一点集中しメインメッセージに落とし込む練習を徹底的にしてみるのもおすすめです。

この練習ですが、以下の3つの簡単な方法があります。

ー暗記しない

一字一句間違えないよう暗記して、話そうとすることは絶対にしないでください。暗記をして話そうとすると「発声は発想」の発想がなくなります。「頭の唱えている言葉」でも構いませんので声を実際に出してぼそぼそ喋ってみましょう。

2誰に話すか決める

友達に話すのか、職場で話すのか、お客さまに話すのか？　誰に話すのか決めると話す意義と方向性がうまれ言葉が出てきやすくなります。口調のニュアンスも変わります。誰に対して最終的に何を伝えたいのかを決めましょう。

3頭の中の情景をきっかけにする

リアルに見ているものや頭の中で描いた情景を、〝発想〟のきっかけにして声に出してみてください。それをもとに話すと言葉が出てきやすくなります。

繰り返し自分に練習することで、いざ本番で話す場面になると、言葉が自然にあふれ出るようになります。なぜならばその物語は自分が経験した嘘偽りない情報だからです。

イメージさせる話し方の練習方法3
「行ってみたいと言わせるのを目的に話す」

あなたは「伝える」と「伝わる」の違いを説明できますか?

この2つは、意味合いとしてはまったく違います。

「伝える」が自分の持っている情報や想いを一方的に届けること、としたら「伝わる」は自分が持っている情報や想いによって相手が影響を受けて、何かしらの行動を自ら起こすことです。

〝相手の行動があるかないか〟が「伝えると伝わる」の違いと言ってもいいでしょう。


商談でいうと、相手の行動こそがご成約です。

面接でいうと、合格など良い結果が出ること。

プレゼンでいうと、企画が採択されるかどうか。


私は研修をしていますが、研修では受講生が仕事で何かしらの結果を出すことだけでなく、リピートや口コミで紹介をもらうことを最終的には目指してもらうようにしています。

〝伝わる〟力はあなたの仕事の成果に大きく影響するのです。

「伝わる」ための能力を向上させ、相手に何かしらの行動を促すために日頃からできる練習が、ここから紹介する「行ってみたいと言わせるのを目的に話す」です。

「私も行ってみたい」「私も食べてみたい」「私もやってみたい」……日常の中では、このような言葉が出てくる可能性のあるシーンが少なくありません。

例えば、あなたが誰にも知られたくない様な穴場スポットを見つけて、それを人に話したときに「私も行ってみたい！」と言われたような経験はありませんか？

このようなリアクションを偶然引き出すのではなく、言ってもらうように意図的に普段の些細な会話から意識して練習してみるのです。

ただなんとなく話すのか？　それとも目的を設定して話すのかは大きな差です。

例えば、あなたが好きな温泉施設があるとしましょう。

友人との会話の中でその温泉施設について話題にする際に、ただ何となく説明をするのではなく、相手に「行ってみたい」と言わせる様に話すのです。
そのためのポイントは、練習1でお伝えした内容に「自分がそれでどのようなプラスの感情を持ったかを必ずつける」ということです。

「○○駅からほんの数駅のところに、縄文時代をコンセプトにした温泉があるのを知っている？　お湯は源泉掛け流しの黄金色で、露天風呂は自然の中に偶然できた様な作りに設計されていて、洗い場は照明の明るさにもこだわっていて、ほんとに心が楽になる温泉なんだよね。」→「えー、行ってみたい！」

ただなんとなく「○○駅からほんの数駅のところにすごいいい温泉があるんだよね」→「そうなんだ」という会話の流れとは、聞いた相手のイメージの広がり方と話を聞いた後のワクワク感はまったく違います。

次に「見る、聞く、触れる、味わう、嗅ぐ」など、五感を使って言葉にする練習もおすすめです。

自分が食べた豚肉の料理が最高に美味しかったとしましょう。その美味しさを相手に

「食べてみたい！」と言わせる様に話してみます。

「〇〇豚って豚肉を食べたことあります？　この豚肉、生産者がものすごく丹精込めて育てているんです。豚がストレスのかからない環境で育っていて、餌にも厳選しているんですよね。だから、塩と胡椒を振ってシンプルに焼くだけで、焼いた香りが他の豚肉とはまったく違うし、口に入れると豚肉の甘みが一気に口に広がって本当に美味しいんですよ」

これは、実際に私が営業の現場で豚肉を食べたときの感動の情景を頭に浮かべて話していた内容です。かなりの確率でお客様に「食べてみたい！」と言っていただいて、契約してもらうことができた私の十八番のおいしさ実感トークでした。

相手を惹きつけるヒントは、相手の頭の中にあります。あなたの感情やテンションではありません。本当に自分がいいと思ったこと、絶対におすすめしたい経験などの場合は、あなたは意図せずとも言葉を実感しています。

相手の頭に主軸を置いてイメージさせ、相手の心を動かすように話しましょう。

イメージさせる→プラスの感情の喚起→行動、です。

イメージさせる話し方の練習方法4
「あえて黙って会話に空白を作る」

大きな買い物の決め手は腹の営業マンの「空白」の時間だった……。

ここからは実際にあった話を通して、会話の中の「空白」が仕事の結果に影響を及ぼすことをお伝えします。

私が28歳のころ、念願の劇団四季に合格し、新居に引越しをする事を決めたときのことです。

それまで家賃2万7000円の風呂無しトイレ共同の四畳半のアパートに、5年近く住んでいた私にとって、引越しは人生の大きな決断でした。

一軒目に内覧した物件の担当営業マンは話し上手で、マンションの仕様や設備など一方的に話し続ける方でした。

そのマンションはそれまで住んでいたアパートと比べものにならないほどきれいで、気持ちの高揚する魅力的な物件でした。しかし敷金や礼金そしてこれから月々にかかる家賃などのことを考えるとどうしてもその場で決めきれずにいました。

その状況で最後に迫るように契約を促されたので私はそこで引いてしまい結局お断りすることにしたのです。「あぁ、押しすぎたか……」と営業マンからそれまでとは別人のような口調でボソリと言われたことは、今でも忘れません。

さらに物件を探していく中で、その場で即契約をする事を決めることができたのですが、その時の営業マンは、一軒目の方とはまったく印象が違いました。その営業マンは腹の据わった落ち着いた雰囲気だったのです。

一通りの案内を終えて私がメインの部屋に入り、窓から見える景色を眺め始めたときに、彼は一言も話さなくなったのです。

説明をやめて佇んでいました。シーンと静まった「空白」の時間です。私はその時間を自然とあることに使っていました。それがイメージです。

この営業マンが作ってくれた「空白」の時間に、私は頭の中で「この物件で生活しているイメージ」を膨らませていました。

窓の外には見晴らしのいい景色の先に白い雪のかかった富士山が見えました。「これから始まるプロの厳しい世界。朝起きてあの美しい富士山を見たら、明るい気持ちになれるのではないか。プロの高い壁も苦しい困難も乗り越え、くじけずにがんばれるのではないか」と新居での生活に思いを馳せ、私はその場で即契約することを決めました。

私が声をかけるまで彼は本当に一言も話しませんでした。あの「空白」が意思決定の決め手になったのです。

このように空白は、ビジネスシーンにおいて結果に大きな影響をおよぼします。

しかし、空白を作ることを恐れてしまう人は非常に多いです。微妙な空気が耐えられなくて自分からその重要な時間を消してしまうのです。

人前で話す際も、空白はインパクトを残すために重要です。私は大勢の前で話す機会が多いのですが空白を利用できるようになって多くの方にインパクトを残せるようになったという実感があります。

「あなたの成約率に大きな影響を及ぼす重要な伝え方は、何だと思いますか。

…………。

それは〝実感して言い切ること〟なんです」

このように、インパクトを残したいキーワードの前に、適切なタイミングで会話の空白をつくるのか、そうではなくて、

「あなたの成約率に大きな影響を及ぼす重要な伝え方は、〝実感して言い切ること〟なんです」

というように、淡白に伝えるだけなのかでは、伝える印象が大きく変わります。

空白を利用すると、聞き手には「次はどのような展開がくるのだろう?」「次の一言は何だろう」と思考が巡り期待感が出ます。期待させた後にキーワードをズバッと言えばインパクトが生まれ、忘れずに現場で活かしてくれるのです。

人前で話す際だけでなく、さきほどのマンションの内覧のエピソードのように、商談などビジネスシーンにおいても空白を作ることによって相手が自ら思考を回転させイメージを広げるための支援をすることができるのです。

空白を使うときの注意ポイントは

○むやみに使いすぎない

○質問をする
○相手を見続ける
の3点です。

むやみやたらに空白を作るのではなく、プレゼンなどでどうしてもインパクトを残したいキーワードを伝えたいときや、商談では相手にプラスの未来を描いてもらうとき、契約書にサインするときなど相手に大きな意思決定を促す前に、敢えて空白を作ることが大切です。空白は、相手が意思決定後の世界を考え巡らせ、頭の中をイメージさせる時間だからです。


この章でお伝えした「相手のイメージを上手に誘導する質問の技術」で書き出した質問を参考にして相手に質問をしましょう。そしてすぐに自分から話しかけてしまうのではなく、質問をきっかけに思考を巡らせイメージを広げてもらいます。

その間、相手を支援する意識をもって相手を見続けましょう。間違っても心の中で「1、2、3」など数えたりして別のことに意識を向けてはいけません。それでは相手に失礼になってしまいます。言葉が出てこない場合はその様子をみて「引っかかっていることはあ

ります か?」、「不安なことはありますか?」など行動するための支援をしてあげるのです。最終的に「ぜひやってみましょう。」など実感して言い切れば、結果は良い方向へと向かいます。

このように空白は、いろんな場面で結果に大きく影響します。空白は相手が思考を巡らせ、考え、イメージを拡げている貴重な時間です。恐れるのではなく利用しましょう。

第6章

人を惹きつける人は「〝見られる〟より〝見る〟意識で話す」

①「悪い緊張」をよい緊張に変える

100%力を発揮する人の「意識の切り替え」

ここまで、話し方で人を惹きつける方法を説明してきました。本章では最後に、いざ現場で力を発揮するために必要な「緊張」を乗り越える方法を紹介していきます。どんなに話し方が上手くなっても、あなたが結果を出すためには、緊張を上手に克服する必要があるからです。

プレゼンや面接、交渉の現場など大事な局面を終えて、このように悔しい思いをしたことはありませんか？

「ここぞの場面になるとプレッシャーに負けて、いつも力を発揮できない」

「いざ対面すると、相手にのみ込まれていい結果が出ない」
「緊張さえしなければ、もっと自分の力を発揮できるのに」
「思い通りに自分の話を伝えられたら、もう失敗しなくて済むのに……」
これは、かつて私が悩んでいたことです。昔から極度に「緊張しがち」な性格だったので、人前でも堂々としている人を見ると「なぜ、あのようなことができるのだろう？」と不思議でなりませんでした。

大事な場面で緊張してしまうのは、仕方のないことです。緊張すること自体は、コントロールできないことでもあります。困るのは、身体の中を漠然とした「何か」が駆け巡り、心拍数が上がって、手足が震え、頭が真っ白になるような「悪い緊張」です。皆さんも、経験があるのではないでしょうか？

この「悪い緊張」の大きな要因は、「見られている」意識。私たちは「他人から見られている」と認識したときに、さまざまなことが上手くできなくなります。

この「見られている」意識の扱い方に、重要なポイントがあります。

それは、「見られている」意識から「見る」意識に切り替えること。

私も意識を切り替える経験を積んだことで、緊張を力に変えることができるようになったのです。緊張との付き合い方を覚えた今は、たとえ何百人の前で話そうとも、リラックスして自分の力を存分に発揮することができます。

あなたも、この「切り替え」によって「悪い緊張」から解放されます。

この章では、「悪い緊張」から解放され、「いい緊張」で話すことができるようになるための方法をお伝えします。

「見られる」意識が悪い緊張をもたらす

「見られる意識を見る意識に変えるだけで力を発揮できるかもしれない！」と気づいたのは、劇団四季のオーディションのときです。

20代の半ばに、生まれてはじめて劇団四季のオーディションを受けたときのこと。

いざオーディションがはじまると、目の前には劇団四季の看板俳優や重鎮がずらり。左右にはたくさんの受験生が緊張した顔つきで私のパフォーマンスを見ています。しかも、現役の劇団員と思われる方々が受験生の様子を窺っていました。

全方位からの視線を感じた私は、場の空気にのみ込まれてしまいました。全身がガクガクと震えて、頭も真っ白。せっかく練習で身につけた成果の半分も発揮できず、その場でフリーズしてしまいました。当然、不合格です。

この緊張に包まれた場の中でも、審査員はとても落ち着いていました。審査員は「見る立場」。「見られている立場」の受験生とは違って、精神的にも優位に立っているのです。

そこで、驚くことが起こりました。突然、会場横の入り口から、浅利慶太さんが現れたのです。

その瞬間、審査員席の雰囲気が一気に変わるのがわかりました。先ほど落ち着いているように見えた審査員の方々が、急に緊張しはじめたのです。それもそのはず、審査員はもともと「見る」立場だったのが、今この瞬間、浅利慶太さんに「きちんと審査しているか?」と「見られる」立場に一変したのです。

このとき、私は『見られる意識』が人の緊張を生む」ということに気づきました。そこで、次の入団審査で100%の力を発揮するためには、「見られる」意識を超えて、「見る」意識に切り替えようと決意しました。そして、常に見る意識でトレーニングを積み、3年後に無事100％の力を発揮して劇団四季に合格できたのです。

あなたも、この「見られる」を超えて「見る」意識に変わる心構えを培えば、ここぞという場面でも結果を出すことができます。ここからは、その心構えを作るためのオリジナルのワークを3つ紹介していきます。

②「見る」意識と「見られる」意識

「見る」意識をつくる3つのワーク

ではさっそく、「見る」意識を培うためのワークを体感していきましょう。今から紹介する3つのワークは、私が実際の研修で行っているものを、文章で体感してもらえるようにしたものです。それぞれ、「見る」意識を簡単に経験できる内容になっています。ぜひ、自分が実際にワークに参加していると想像しながら読んでみてください。

ワーク①「ハンカチを隠しているのは誰だ？」
1対2〜4人の面接や商談で、精神的優位に立つためのワーク
ワーク②「『ライオンキング』のサボテン」
5人以上の前に立っても、堂々と話せるようになるためのワーク
ワーク③「赤ちゃんへのまなざし」
「見る」意識の精度を、より一層高めるためのワーク

ワーク1

「ハンカチを隠しているのは誰だ？」ワーク

「見る」と「見られる」の決定的な差

ここから紹介する「ハンカチ落とし」を応用したワークを通じて、「見られる」意識と「見

る」意識の立場の違いを感じてみてください。とくに、「見られている立場」にいると緊張が走り、相手にのみ込まれてしまうことを自覚できると思います。

このワークの学びを活かせば、「見られる」意識を「見る」意識に切り替えるだけで緊張がすぐに消えることがわかります。面接や商談で、相手にのみ込まれないようになりましょう！

さて、あなたは子どものころに「ハンカチ落とし」をしたことがありますか？　簡単にルールをおさらいします。
○グループで円になって座り、背中側で両手を組む。
○鬼役の人がその円を回りながら、そっと誰かの背後にハンカチを落として、円に沿って1周逃げる。
○ハンカチを落とされた人は、鬼を追いかける。
○1周以内に鬼にタッチできれば、もう一度鬼のターンになる。
○ハンカチを落とされたことに気づかない、もしくは、追いかけても鬼が先に1周逃げ切ったら、鬼を交代する。
今からお伝えするワークは、このハンカチ落としを応用したものです。

では、想像してみてください。

【設定】

あなたは今、椅子に座っています。同じように椅子に座っている人が4人いて、この4人とあなたの合計5人で小さな円を作っています。全員が初対面で、お互いの顔がよく見える近さです。円の周りには、たくさんのギャラリーが集まっています。

講師である私が、鬼役です。今から私が、あなたをふくめた5人のうちの誰かの、後ろで組んだ手にそっとハンカチを置きます。

【ルール】

ここで、普通のハンカチ落としとは異なる、大事なルールがあります。

もしあなたがハンカチを置かれても、「自分がハンカチを持っていること」を隠し続けてください。絶対に誰にも見抜かれてはいけません。つまり、ハンカチを持っていない〝フリ〟をするのです。

逆に、もしあなたがハンカチを置かれていなければ、他の4人のうちの誰かが「持って

ハンカチ落とし　他の人が犯人

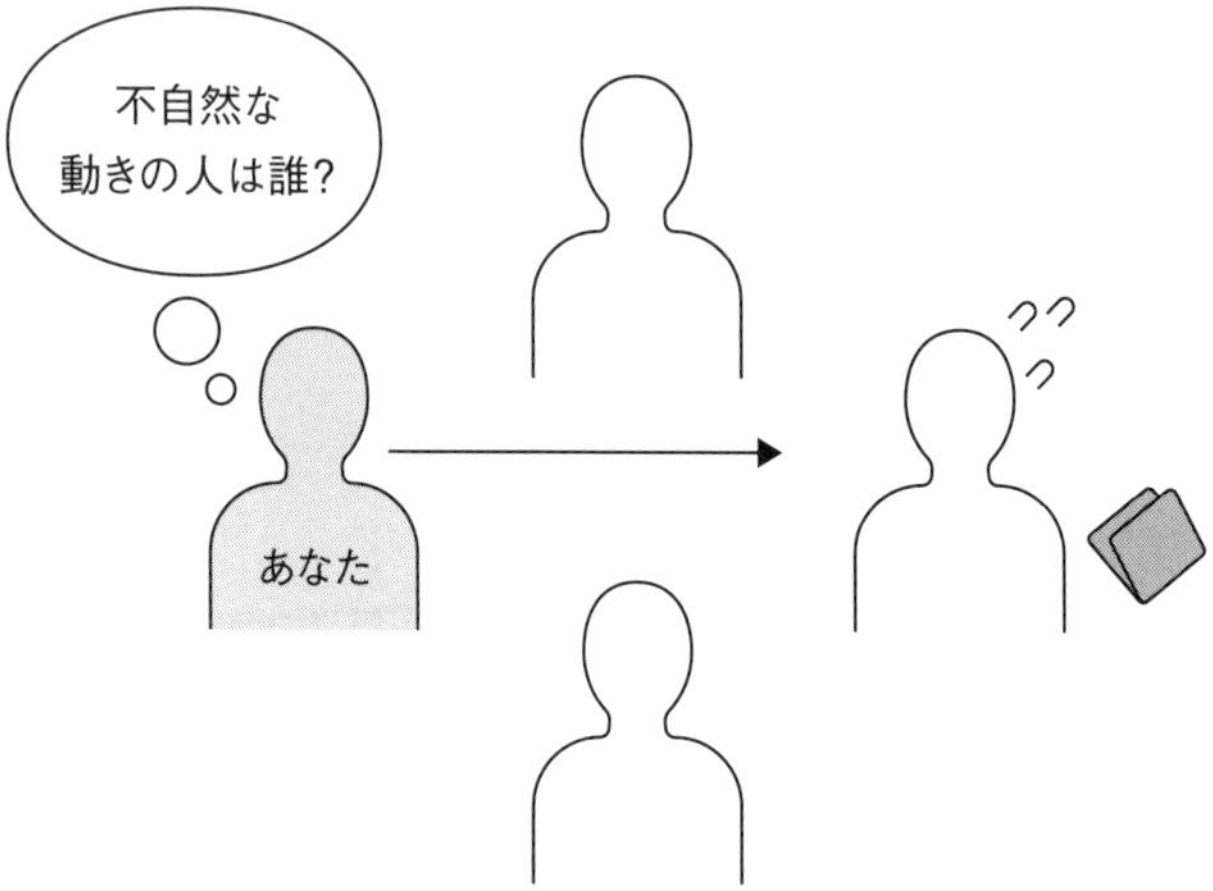

いない〝フリ〟をしています。その犯人を探してください。

【ワークスタート!】

ではまず、全員目を閉じてください。

鬼役の私が、そろりそろりと背後を回っています。あなたは目を閉じて真っ暗な状態ですが、私の気配を感じるたびに、背中がぞくぞくとしています。「まだか、まだか……」としばらく不安を感じた後、私がこう言いました。

「では、目を開けてください」

ハンカチは、あなたには置かれませんでした。つまり、犯人は他の4人のうちの誰かです。続けて私がこのように言います。

「今から、犯人を探してみてください。顔がこわばっている人はいませんか？　顔や耳が赤くなっている人はいませんか？　目を不自然にキョロキョロさせている人はいませんか？　探してみてください」。

明らかに一人、不自然な挙動をしている人がいます。あなたは、「その人が犯人に違いない」と確信しました。

「せーの」で犯人を当てるのかと思いきや、講師の私が「では、目を閉じてください」と言いました。そのままゲーム再開です。

目を閉じて真っ暗な中、また、鬼役の私が後ろをぐるぐる歩いています。気配を感じるたびにまた、背中がぞくぞくとします。今度はなかなか犯人が決まりません。しばらく時間がたって、「自分ではないな」と安心したそのときです！

後ろに組んだあなたの手の上に、ハンカチがふわりと置かれました。柔らかい感触です。「では目を開けてください。この中に犯人が一人います」。私がこう伝えると、全員が目を開けました。

目を開けると、このような光景が待っています。

ハンカチ落とし　自分が犯人

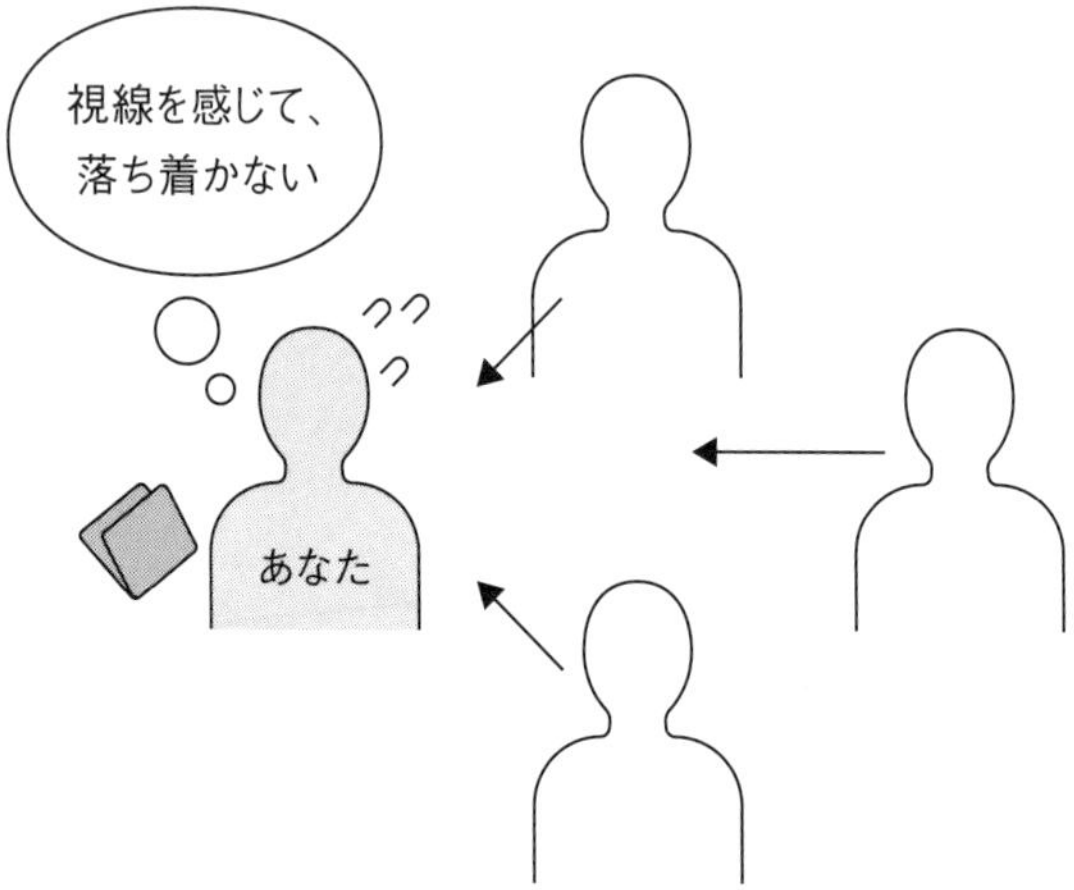

まず感じるのは、他の4人からの視線。そして周りのギャラリーからの視線も突き刺さります。周りのギャラリーは、ハンカチを持っていない〝フリ〟をしている犯人を、まじまじと観察しています。先ほど周りのギャラリーの視線を感じなかったのが、ウソのようです。全員が自分を見ているような気がします。

この状況に置かれると人はどうなるのか？　脇に汗をかいたり、顔がこわばったり、心拍が速くなったりします。先ほどはまったく起きなかった生理的な反応です。

しばらくこのイヤな時間に耐えていると、鬼役の私が全員に再び目を閉じるように合図します。目を閉じると、あなたの手の上のハンカチが私にピックアップされました。ホッとしているとゲームスタート。しばらくして鬼役の私が「目を開けてください」と言いました。今度は、別の人の手の上にハンカチを置いたようです。あなたの手の上には、もちろんハンカチはありません。まわりのギャラリーからの視線も感じなくなりました。ホッとしたあなたは、面白いことに先ほどの全身の力みが一瞬で取り除かれ、自然体で次の犯人を探すことができているのです。

いかがでしょうか。

このワークの目的は犯人を当てることではなく、「見られる」意識から「見る」意識への変化を体感することとです。あなたがハンカチを持っている状態＝「見られる」意識、犯人を探している状態＝「見る」意識です。

「見られる」と「見る」意識の立場の違いを感じていただけましたか？　あなたがやるべきことは、どんな場面でも「見られる」を超えて「見る」意識を持つことなのです。

次のワークでは、「見られる」意識を「見る」意識に切り替えるためのヒントを紹介します。

ワーク2

「『ライオンキング』のサボテン」ワーク

立つだけの「サボテンの役」が難しい理由

「見られる」意識を超えて「見る」意識で経験を積めば、大勢の前でも落ち着いて、「いい緊張」のまま振る舞うことができます。1対1でも、1対大人数でも同じです。それを感じたのは、私が『ライオンキング』のデビューのためにした壮絶な「サボテンの役」の特訓のときです。「見る」「見られる」の切り替えを体感できるようにこのときの特訓をアレンジしたのが、これから紹介するワークです。

『ライオンキング』は、アフリカの広大なサバンナを舞台にした、ライオンの主人公・シンバの物語で劇団四季を代表する作品です。劇中の名シーンのうちの一つに、シンバと幼なじみのメスライオン・ナラが奇跡的に再会する曲「愛を感じて」があります。

サボテン役は、このとき、主人公の周りを囲んで、ただ立っているだけです。一見簡単そうな役に思えるかもしれませんが、実は、このサボテン役は非常に緊張する、難しい役なのです。

なぜなら、私の立ち位置は舞台の一番前。1000人以上の観客の目の前で、5分近く立ち続ける必要があったのです。

この重要なシーンでサボテン役として役割を全うしなければ、デビューはできません。新人だった私は、一人だけ特別に舞台稽古で特訓をしてもらいました。

このときの特訓で身につけたのも「見る」意識です。

先輩方が厳しい表情で私を見ているので、最初、私はその視線に負けて、おどおどと浮き足立ってしまいました。心ここにあらずで、全身冷や汗をかきました。そして、ごまかすために、身体をくねくね動かしたり、頭を前後に揺すったり、細かくうなずいて、その場を乗り切ろうとしていました。「見られている」意識の人の行動の典型例です。そのような余計な所作をすると、すぐに指摘されました。

大勢の前でも相手を「見る」

では、ここからは『ライオンキング』のサボテン」ワークを体験していただきます。

【設定】

あなたは今、大きなホールの舞台の袖（客席から見えない脇のエリア）にいます。舞台は照明で輝いていますが、袖は真っ暗です。客席はあなたのプレゼンを聞きに来ている観衆でいっぱいです。観衆は今か今かとプレゼンがはじまるのを待っていて、熱気にあふれています。

いよいよ本番です。司会者が、会場を盛り上げました。

「さあ皆さま、大変長らくお待たせいたしました。これよりいよいよ○○さん（あなた）に登壇していただきます。では皆さま、大きな拍手でお迎えください！」

大きな拍手が会場に鳴り響きます。あなたは意を決して一歩踏み出し、拍手に包まれながらゆっくり、舞台の中央に立ちました……。

【ルール】

さぁ、ここからがワークのスタートです。

今からしばらくその場で、何もせず、サボテンのように「ただ立っていて」ください。

話してはいけません。変な挙動もすべてやめてください。笑ってごまかしたりもしないでください。


【ワークスタート】

まずは、シンプルに目の前の観客を「見て」みましょう。観客を観察するように「見る」のです。

足を組んでいる人もいます。厳しい表情をしている人もいます。ふんぞり返っている人もいます。その様子を冷静に観察してみましょう。「あの人は足を組んでいる」「厳しい表情の人は眼鏡をかけている」……このように、目に入った様子を心の中で唱えても構いません。

このように目の前の相手を観察していると、だんだんと、「見られる」ことから意識が遠のいていき、自然と「見る」に自分の意識が集中していきます。「見る」ために必要なのは、シンプルな意識の切り替えです。

見られるより見る

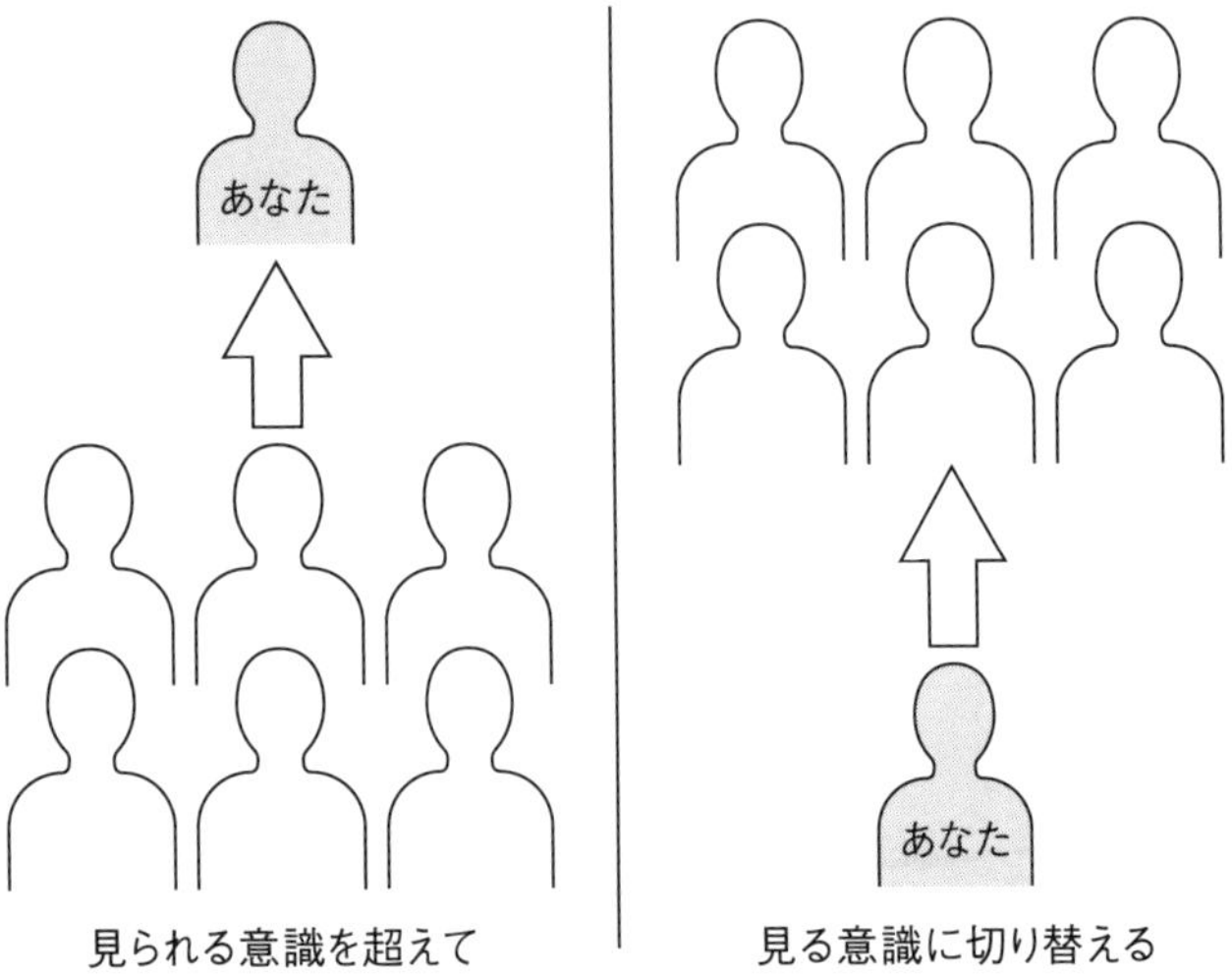

ゆっくりと「見られる」を超えて「見る」意識に切り替えることができたら、「私は自分の心を開いてあなたたちを受け入れます」という意味を込めて両手を開いてみましょう。愛で包み込むように、観衆を「見る」のです！　このときのあなたは、完全に「見る」意識になっています。

いかがでしたか？　実際にやってみると、言葉が使えないぶん、そこに「ただ立っているだけ」はかなり苦しいです。ただ、「見る」意識が体感としてわかってくると、多くの方が一皮むけて、堂々とできるようになります。まるで自分に後光がさしているように感じる方もいます。

この『ライオンキング』のサボテンワーク」は、多くのビジネスパーソンや経営者の方々に好評です。ワークをする前と後では、受講生のプレゼンの存在感が明らかに増します。

特に大きな変化があった男性がいました。大人しい印象だった彼は、ワークを受ける前に行ったプレゼンでは、相手の目を見ず下を向いたまま話していました。

しかしワークを受けた後は、表情、姿勢、声の大きさがすべて向上し、ハツラツとした信頼できるビジネスパーソンに変身したのです。

「見られる」意識から「見る意識」に切り替えるだけで、これほど大きな変化が得られます。

「見られる」意識を超えて「見る」意識になっていきましょう。

それが、あなたが結果を出すための精神的土台になります。経験を積めば積むほど、場にのみ込まれなくなります。まずは今日から「見る」意識で練習してみましょう。

ワーク３

「赤ちゃんへのまなざし」ワーク

相手を好意的に「見る」意識

ここまで、「見られる」立場の意識ではなく、「見る」立場の意識に変えていくことの重要性をお伝えしてきました。しかし、一点、絶対に注意しなければならないことがあります。それは、相手の心をのぞき込むように見つめてはいけないということです。

「見る」意識で、相手をのぞき込むと、相手は、まるで上から目線で監視されているような印象を抱いてしまいます。すると、人は離れていってしまうのです。

では、どうしたらいいのか？　それは、相手を「好意的な対象」として「見る」意識を持つことです。

この意識を高めることができるワークが、「赤ちゃんへのまなざし」です。

赤ちゃんは「純粋無垢」で、「愛おしさを周りに届けている存在」です。このワークでは赤ちゃんに意識を向けます。

やることは簡単です。

STEP1：他の人が赤ちゃんに向けるまなざしを観察する

たとえば、ご年配の方が赤ちゃんへ向けるまなざしを観察してみましょう。その目は愛で満たされています。穏やかで温かい、この視線が究極の状態です。自分の目に焼き付けてください。

STEP2：実際に赤ちゃんを見てみる

赤ちゃんを見かけたら純粋無垢な姿を、ただただ愛らしい対象として見てください。目線が合うと、赤ちゃんはこちらをじーっと輝いた目で見てきます。

STEP3：その意識で、いろんな人を見る

赤ちゃんを見たときのようなまなざしで相手を見てみましょう。STEP1とSTEP2を意識してみてください。相手を好意的な対象として見ることができます。

このワークを通じて、目つきがまさに180度変わった例を紹介します。

ある研修での出来事です。鋭い目つきで、私や周りに視線を向けている受講者がいました。その方に①「ハンカチを隠しているのは誰だ？」ワークと②「『ライオンキング』のサボテ

ン」ワークをやってもらったときのこと。彼は「見る」意識は得意なようで、「見られる」意識からの切り替えはすぐにできたのですが、ここで問題がありました。彼の目があまりに鋭く、冷めたような視線だったので、怖い印象を与えてしまい、逆に観衆がおののくような雰囲気になってしまったのです。

そこで、この③「赤ちゃんへのまなざし」もやってもらいました。そして、私は彼にこうつけ加えるように言いました。「今、目の前に可愛い娘さんがいたら、どのように見ますか？」。

すると、彼の目が180度変わったのです。愛そのものでした。その場の空気も変わり、場の全員が温かい雰囲気で包まれました。その後も、それまでとはまったく違うまなざしになっていました。

このワークの力、感じていただけましたか？

「相手は敵だ」という考え方を捨てる

「でも相手は赤ちゃんではないから、そんなまなざしで見ることは難しいのではないか？」。あなたはこう思ったかもしれません。

確かに、面接官や審査員やお客さまは厳しい表情をしていることがあります。では、あなたがその雰囲気に負けないためにはどうしたらいいのでしょうか？

それは、「相手は敵である」という考えを捨てること。

私たちは緊張する場面になると、どうしても対面した相手を「自分の敵」と見なしてしまう傾向にあります。

「私の悪いところを見つけようとしているのではないか」「悪い評価をしようとしているに違いない」などと勝手に思い込んでしまうのです。

私も講師として経験が浅いころは、聴衆の表情を見て「悪い評価をしようとしているのではないか」「粗探しをしているのではないか」「矛盾点を指摘しようとしているのではないか」とのみ込まれてしまっていました。

しかし意外にも、厳しい表情をしている人ほど、アンケートや名刺交換のタイミングで、建設的な言葉を頂くことが多いのです。それに気づいてからは、相手の表面的な雰囲気で勝手な解釈をしないことにしました。

相手を敵と見なすことは、自滅行為でもあります。なぜなら、自分で「見られる」意識を作り出してしまうからです。

目の前の相手は「敵」という思い込みを捨てて、好意的な目で「見る」ことがよりよい結果につながります。

面接や商談や交渉だけでなく、人前で話すときも同じです。

どのような場においても、そこにいる全員を包み込む好意的な目で、見ることを心がけてみてください。

③「いい緊張」で本来の力を発揮する方法

緊張は力に変わる

ここまでは「悪い緊張」から解放される方法を紹介してきましたが、ここからは「いい緊張」について説明していきます。

あなたは、人前で話す直前などにこんな不安になったことはありませんか？

「失敗したらどうしよう」

「上手くやらないと」

「周りからどう思われるんだろう」

緊張で悩んでいい結果が出ない方の多くは、本番直前にこのように考えてしまいます。

しかし、緊張を力に変えるためにはこの考えは必要ありません。本章の冒頭で、「緊張することと自体はコントロールできない」とお伝えしました。

では「悪い緊張」を「いい緊張」に変えて、結果を出すためにはどうしたらいいのか。そこで皆さんにお伝えするのが、私が劇団四季で学んだ「ゼロ幕」という考え方です。

劇団四季の開演前の儀式「ゼロ幕」

あなたは、劇団四季の舞台を見たことはありますか？　劇団四季はプロフェッショナルの舞台。お客さまを楽しませるために、出演者側は毎回、壮絶なプレッシャーを乗り越えています。舞台とは、そのときの気持ちや体調などの条件によって出来が大きく変わってしまう、ある意味、水物です。舞台の質を保つことは、いわば死活問題です。

素晴らしいパフォーマンスが「できるのか、できないのか？」。

お客さまに感動を「届けられるのか、届けられないのか？」。

口コミや評判で「人が集まるのか、去っていくのか？」。

出演者がプロとして「育つのか、育たないのか？」。

この差は、わずかです。

この差を乗り越えるために、劇団四季で徹底していたのが、重要な儀式「ゼロ幕」です。

演劇の場面を指す用語で「1幕」「2幕」というものがあります。舞台が進んでいくにつれ数字が1、2、3……と大きくなっていきます。劇団四季では、舞台の質を保つためにもっとも大切なのは、その前の「ゼロ幕」だという考え方が根付いていました。つまり、舞台の本番よりも、ステージに一歩踏み出す前の準備のほうが、お客さまに感動を届けるために重要だと考えているのです。

「ゼロ幕」で行うのは、自分への問いかけ。開演直前に、「なぜ私はその場にいるのか？」と本来の自分の存在目的に立ち返るのが、劇団四季の儀式でした。これには、深い理由があります。

それは、本来の目的に立ち返ることで、思考を切り替えるため。これから詳しく説明していきます。

あなたは相手に「何を伝えたい」のか？

「ゼロ幕」で「なぜ私はその場にいるのか？」と問いかけるのは、本来の自分の存在目的に立ち返るためです。なぜそのようなことをする必要があるのでしょうか？

舞台直前のキャストには、想像を絶するようなプレッシャーがかかっています。「間違えたらどうしよう」「失敗したらどうしよう」と不安に駆られてしまうのです。

しかし、これらはすべて〝出演者側〟の都合にすぎません。お客さまからすれば、一切、関係がないのです。にもかかわらず、完全に意識が自分のみにとらわれてしまっている、いわば「内向き」思考の状態です。

この思考を〝相手側〟に何かを届けたいという「外向き」に切り替えるための儀式が「ゼロ幕」なのです。

「どのような価値を届けよう」「どのような気づきを与えられるのか」「誰の役に立てるのだろう」「お客さまの悩みを解決したい」。こういった、相手を中心にする「外向き」の考え方ができれば、自分のアクションにプラスの動機が生まれます。

「私は観客に〝生きる喜び〟を届けるためにここにいる」と本来の目的に立ち返ることで、「外向き」思考が、内向き思考よりも大きくなります。その瞬間に、悪い緊張が「いい緊張」に変わり、自分で自分を勇気づけることができるのです。「ゼロ幕」こそが、感動の舞台の源なのです。

新鮮な気持ちを保てば、成果が上がる

実は、「ゼロ幕」には緊張を力に変える以外の、意外な効能があります。

それは、形骸化を防ぐこと。慣れによって、自分の言葉や行動が形だけになってしまったときに、もう一度、初心に立ち返ることができるのです。

人間は、経験を積んで成果が出ると、慣れが生まれます。この慣れが〝ダレ〟を生み出し仕事の質が一瞬で下がってしまうのです。そして、自分が〝慣れている〟ことに気づいていないことは、とても恐ろしいです。

劇場に来るお客さまには様々な人生のドラマがあります。出演者は日常的に舞台に立ち

ますが、劇団四季の舞台は、お客さまには一生に1回あるかないかの非日常の世界。まさに、毎日が初日という初心で、絶対に慣れを起こさないためのゼロ幕でもあるのです。

たとえスポットライトの当たらない役の出演者でも、一人ひとりがゼロ幕で本来の存在目的に立ち返っています。全員が「舞台を最高のものにしよう」と意識しているからこそ、劇団四季の舞台は毎回必ず感動を届けられるのです。

これは、舞台の世界だけの話ではありません。ビジネスパーソンでも、接客などの現場でも同じです。徐々に慣れてしまうと、形だけの表面的なやりとりになります。

そんなときこそ、自分の存在目的に立ち返るのです。大事な会議の前、お客さまとのアポイントの前、大人数の前での講演で一歩踏み出す前……。私自身、どれだけこの「ゼロ幕」に助けられたか計り知れません。

お客さまの前に一歩踏み出す直前にゼロ幕で自分の存在目的に立ち返る習慣を持てば、緊張が力になるだけでなく、毎回、新鮮な気持ちで相手に向き合えるようになります。どの現場にもつながることです。

目的に立ち返る習慣は、人をプロにします。職場というステージに一歩踏み出す前に、ゼロ幕の考え方で自分に問いかけましょう。

「居れている」自分と対話しよう

本書の最後に、劇団四季で日常的に飛び交っていた言葉「居《い》れている、居れていない」を紹介します。

ビジネスシーンでは、「ゼロ幕」をしていても、追い詰められてしまうことがあると思います。話している途中に厳しい質問や突っ込みなど、予期できないことが次々に起きるためです。今から紹介するのは、そのような場面を乗り越えるための考え方です。

会議や商談で、相手から問い詰められて固まってしまった。大事なプレゼンで聞き手から鋭い質問をされて答えられず、追い込められてしまった。そのようなときは事前にどれだけ用意をして臨んでも、一瞬で浮き足立ってしまうことがあると思います。私もかつては、そのような経験ばかりでした。

劇団四季では、そういった状態のことをこのように表現していました。

「なぜその場にいるのか」が腹落ちしている人＝「居れている」人
「なぜその場にいるのか」が腹落ちしておらず、浮ついている人＝「居れていない」人

「居れていない」人は、舞台でも浮いて見えます。そして舞台上に一人でも「居れていない」人がいると、舞台は台無しになります。これは、ビジネスパーソンでも同じです。皆さんもときには、厳しい突っ込みを受けたり、鋭い質問を浴びることがあると思います。すると、急に「見る」から「見られる」意識に戻ってしまい、「なぜ自分がそこにいるのか」というゼロ幕の効果もどこかに飛んでいってしまいます。〝居れていない〟状態になってしまうのです。しかも、その場ではあなたを助けてくれる人は誰もいません。だから、自分で自分を助ける必要があります。

このような追い込まれた状況を打開するためには、どうすればいいのか?

それは、相手と向き合っている最中に、もう一度「なぜ私はこの場にいるのか?」とゼロ幕に立ち返ること。

追い込まれて「居れていない」と感じた瞬間は、必ずわかります。そのときのために、あらかじめ用意をしておきましょう。

たとえば、プレゼンや会議の現場で、あなたの近くや客席に、空席を一つ、わざと作っておくのです。実際に用意できない場合は、想像でも構いません。

その空席には、もう一人の自分が落ち着いて座っていると思ってください。そして、いざ「居れていない」状態になったとき、その空席からもう一人の自分があなたに問いかけます。「誰のため、何のため、なぜそこにいるの？」と。こうして、自分の存在意義に立ち返り、「居れている」状態に戻るのです。

これが、あなたが本来の力を発揮するための源になります。一度「居れていない」状態になっても大丈夫。また「居れている」状態に戻って、リスタートすればいいのです。自分の存在目的を起点にして、もう一度原点から再出発しましょう。

そのとき、あなたの目は必ず変わっているはずです。私は挑戦しているあなたを、心の底から応援しています。

おわりに

「佐藤さん、残念ながら戦力外です」

私は20代で「会社をクビになる」という、忘れたくても忘れることのできない経験をしました。

私は今まで、この苦い経験を、誰にも打ち明けられずにいました。

もしかすると、「そこまで気にすることではないのではないか？」と思う方もいるかもしれません。しかし、私にとっては自分の人生を揺るがすような、ショックなできごとだったのです。

私が「この本をきっかけに、自分の恥ずかしいエピソードをさらけ出そう」と思い立ったのには、理由があります。それは絶対に「人は変わることができる」と、あなたに証明するためです。

かつて、一人ぼっちで迎えた23歳の誕生日。鏡に映った自分の表情を、よく覚えています。20代の若者とは思えないような、悲壮感が漂う、暗い顔つきでした。

「このままではまずい」。危機感を持った私は、この日をきっかけにそう決意しました。それまでの「ダメな自分」から脱却することを決めたのです。

そこで最初に取り組んだことが、第2章でお伝えした「書いて発信する」ことです。どんなにささいなことでも、とにかく「書く」ことを続けました。挑戦したこと、失敗したこと、そして、そこから何に気づいて、どのように行動をするのか……。私の行く末を心配してくれる同級生や先輩に向けて、「経験→気づき→行動」のメールマガジンを毎週、送るようにしたのです。

本当に赤裸々に、自分の考え・悩みを書き続けました。

すると、徐々に不思議なことが起こるようになりました。最初は反応のなかった周りの人たちから、反応をもらえるようになってきたのです。一応お断りしておくと、決して、大げさな反応があったわけではありません。「刺激を受けた」「私もがんばる」。こういった、何気ないような言葉です。

しかし、このときの経験が、私のパワーの源となりました。

自分の考えを整理する。
言葉をつむいで、行動につなげる。
そして、ありのままの自分で「実感して語る」。

失敗ばかりの23歳のフリーターが、劇団四季の主役にまで上り詰めたのも、そして、飛び込み営業で返り咲いたのも、愚直に「やる」と言ったことを、ただ実践し続けたからこそなのだと、今になって振り返ると、あらためて思います。

この本では、あなたが「実感して語る」ことができるようになるためのノウハウをすべてお伝えしました。日ごろから意識してほしいコミュニケーション術や、力を存分に発揮するためのテクニックも、出し惜しみせずに載せました。

ただ、忘れないでください。
小手先のテクニックやハウツーだけでは、人の心は動かせません。本を読んで知識を蓄えるだけでは、人の心を動かす力は生み出せません。うわべのテクニックを身につけて、自分ではない誰かを装っても、上手くいかないのです。人の心を動かすためには、「実感して語る」ことが必要です。

だからこそ、まずは一つのことに〝腹〟を決めて、本気で取り組みましょう。実際に本気で取り組むからこそ、「実感」することができます。

そしてあなたが「実感」した言葉は、あなただけのものです。

あなたの生き様が、あなたの言葉を変え、結果を変え、人生を変えるのです。

さぁ、幕は上がりました。

人生を変えるのはあなたです。

人を惹きつける話し方で、今日からの人生を変えていきましょう！

2023年1月　佐藤政樹

謝辞　天国の浅利慶太先生

フリーターとして人生をさまよっていた私をプロの世界に引き上げていただき、ありがとうございました。

どうしようもなく不器用で下手くそだった私に、可能性を見出して、見捨てず最後まで育ててくださったのは、浅利先生だけです。

この本を出すことができたのは、浅利先生のおかげです。

最大限の感謝とともに、ここに筆をおかせていただきます。

佐藤政樹 Masaki Sato

企業研修講師／講演家

1975年生まれ。就職活動で内定が一つも取れず、大学卒業後フリーターに。アルバイトで働きはじめた人材派遣業の営業職では、仕事ができないことが理由で“戦力外通告”を受け、自分の殻に閉じこもる。

23歳の誕生日に「このままではまずい」と一念発起して、劇団四季への入団を決意。27歳で合格するまでの約5年の修行期間に、チラシ配り、テレアポ、携帯電話販売員、銀座の夜の世界……数々のアルバイト経験を通じて、「超」がつくほどの人見知りを克服。

劇団四季では『ライオンキング』などへの出演を果たし、入団8年目に『人間になりたがった猫』で主役としてスポットライトを浴びる。その際に劇団四季創業者のカリスマ浅利慶太氏から「伝わる言葉」の本質をマンツーマンで直接学ぶ。

その後、講演家になることを志して退団するもまったく食べていけず、ビジネス経験ゼロから飛び込み営業の会社に就職。

営業では、はじめは鳴かず飛ばずだったが、浅利慶太氏から学んだ「伝わる言葉」と自ら編み出した「人を惹きつける話し方の技術」を活用することで、約500名近くいる社員の中で「多大なる貢献をした社員第2位」を獲得。

自身の特異な経験をもとにした独自の講話は口コミで全国に拡がり、経営者やビジネスリーダー、営業マン、接客関係者まで、受講後に結果を出す人が続出。現在は、企業研修や講演活動で全国を飛び回り、延べ約300社・3万人を超える多くのビジネスパーソンに「人を惹きつける話し方」を伝授。伝える力やコミュニケーション能力、自己表現力の向上に貢献している。

プレゼンイベントの殿堂TEDxにも出場し、「人を惹きつける話し方」を元にした『感動を創造する言葉の伝え方』のテーマで、日本人では異例の35万回再生を超えている。

佐藤政樹 検索

https://satomasaki.com/

公式ウェブサイトにはさらに深い内容のコラムや動画が満載！

※研修・講演のご相談もこちらまで。

口下手でも人見知りでも
あがり症でも人生が変わる
人を「惹きつける」話し方

2023年3月19日　第1刷発行
2023年12月25日　第3刷発行

著　　者　佐藤政樹
発 行 者　鈴木勝彦
発 行 所　株式会社プレジデント社
〒102-8641 東京都千代田区平河町2-16-1
平河町森タワー13階
https://www.president.co.jp/
https://presidentstore.jp/
電話：編集 (03) 3237-3732　販売 (03) 3237-3731

装　　幀　三森健太 (JUNGLE)
著者エージェント　株式会社アップルシード・エージェンシー
協　　力　志村智彦 (志コンサルティング株式会社)
成瀬拓也 (株式会社ウィルフォワード)
編　　集　岡本秀一　榛村光哲
制　　作　関 結香
販　　売　桂木栄一　高橋 徹　川井田美景　森田 巌　末吉秀樹
印刷・製本　TOPPAN株式会社

 ISBN 978-4-8334-2492-9